1 はじめに

本書の目的は，なるべく少ない前提の下で，最新の暗号技術である「超特異同種写像ディフィー・ヘルマン鍵共有」の概要 [F] を理解する道筋を提供することである．この暗号技術は，量子コンピュータへの耐性がある（可能性が高い）として，注目を集めている．

まずは，古典的なディフィー・ヘルマン鍵共有の解説から始めよう．ディフィー・ヘルマン鍵共有とは，事前の秘密共有無しに，盗聴の可能性のある通信路を使って，暗号鍵の共有を可能にする暗号プロトコルである．

2 古典的ディフィー・ヘルマン鍵共有

2.1 セットアップ

以下の値を，公開データとして用意する．
1. 十分大きな素数 p
2. $p-1$ 乗して初めて p で割った余りが 1 となる数 g，（乗法群 $\mathbb{F}_p^\times$ の生成元[*1]）

2.2 鍵交換プロトコル

秘密鍵生成のために，アリス（A）とボブ（B）の間で行われる通信を説明する．

(A1) 整数 a をランダムに選択する．　　(B1) 整数 b をランダムに選択する．
(A2) $A := g^a \pmod{p}$ を計算する．　　(B2) $B := g^b \pmod{p}$ を計算する．
(A3) ボブに A を送信する．　　(B3) アリスに B を送信する．
(A4) 鍵 $K_A := B^a \pmod{p}$ を計算する．　　(B4) 鍵 $K_B := A^b \pmod{p}$ を計算する．

このときアリスとボブが計算した鍵は共に

$$K_A \equiv g^{ab} \equiv K_B \pmod{p}$$

であるため，この値を共通鍵暗号方式の鍵 K として使用することができる．

ここで，盗聴者がこの二人の通信から A と B を入手しても，$A = g^a \pmod{p}$ と $B = g^b \pmod{p}$ の値から $K = g^{ab} \pmod{p}$ を多項式時間で計算する方法が（現在の所）知られていないので，鍵 K を生成することは難しい．このため，アリスとボブは安全に通信を行うことが可能になる．

[*1] 命題 4.3 参照

2.3 安全性と量子コンピュータ

ある種の問題に対して，量子コンピュータ上で動くアルゴリズムは，最も効率の良い古典アルゴリズムよりも早く問題を解くことができるとされている．例えば，素因数分解問題は，最も効率の良い古典アルゴリズムでも準指数時間であるのに対して，量子コンピュータ上で動作するショアのアルゴリズムはこれを多項式時間で解決してしまう．加えて，ショアのアルゴリズムは，古典的ディフィー・ヘルマン鍵交換，古典的楕円曲線暗号，エルガマル暗号といった暗号システムの安全性が依拠する離散対数問題も効率的に解くことができてしまう．2021 年現在，小規模ではあるが，量子コンピュータの研究は成功していると聞く．このまま開発が進み，実用的な量子コンピュータが実現されれば，現代の暗号プロトコルは破られてしまうため，量子コンピュータに対しても耐性のある暗号（耐量子暗号）の開発が促進されている．その一つが本書で扱う「超楕円曲線同種写像ディフィー・ヘルマン鍵交換」である．

3 有限生成アーベル群

3.1 巡回群

与えられた $n \in \mathbb{Z}$ について，整数 x, y は $x - y$ が n で割り切れるとき，n を法として合同であるといい，

$$x \equiv y \pmod{n}$$

と表す．この「合同」という関係によって $\mathbb{Z}$ の元を類別することができる．その合同類の族を $\mathbb{Z}/n\mathbb{Z}$ を書く．整数 x と合同な整数の集合を $[x] := \{x + nk \mid k \in \mathbb{Z}\}$ と表すと，

$$\mathbb{Z}/n\mathbb{Z} = \{[0], [1], [2], \ldots, [n-1]\}$$

となることが分かる．この $\mathbb{Z}/n\mathbb{Z}$ 上に加法的な二項演算 $[x] + [y] = [x + y]$ と与えた[*2]ものを，n 次巡回群と呼ぶ．また，便宜的に，$\mathbb{Z}$ を無限次巡回群と呼び，同様に扱う．この場合，$[x] = \{x\}$ であることに注意する．（今後，記号 [ ] は省略するが注意してほしい．）

命題 3.1. 巡回群 $\mathbb{Z}/n\mathbb{Z}$ 上の演算は，代表元の選び方に依らず矛盾なく定義されている．

証明．任意の $x_1 \in [x]$，$y_1 \in [y]$ に対して，$x_1 + y_1 \in [x + y]$ を示せばよい．仮定から $x_1 = x + nk$，$y_1 = y + nk'$ と書けるので，$x_1 + y_1 = (x + y) + n(k + k')$ となり，$x_1 + y_1 \in [x + y]$ が従う． □

[*2] 集合間の演算であるから，この演算が代表元の選び方に依らず定義されていることを示す必要がある．命題 3.1 参照

巡回群 $\mathbb{Z}/n\mathbb{Z}$ の元 x に対して $m \cdot x = 0$ となる自然数 m のうち最小のものを x の位数といい $\mathrm{ord}(x)$ で表す．定義から，$\mathrm{ord}(x) = n/\gcd(x, n)$ である．$\mathrm{ord}(x) = n$ となる元を $\mathbb{Z}/n\mathbb{Z}$ の生成元という．

例．$\mathbb{Z}/12\mathbb{Z}$ の元のうちで，生成元になるものは $12 \cdot (1 - 2^{-1}) \cdot (1 - 3^{-1}) = 4$ 個[*3]あって，$1, 5, 7, 11$ である．一方，12 の約数それぞれが生成する $\mathbb{Z}/12\mathbb{Z}$ の部分集合は

$$\mathbb{Z}/12\mathbb{Z} = \{0, 1, 2, 3, 4, 5, 6, 7, 8, 9, 10, 11\}, \qquad 12\mathbb{Z}/12\mathbb{Z} = \{0\}$$
$$2\mathbb{Z}/12\mathbb{Z} = \{0, 2, 4, 6, 8, 10\}, \qquad 6\mathbb{Z}/12\mathbb{Z} = \{0, 6\}$$
$$3\mathbb{Z}/12\mathbb{Z} = \{0, 3, 6, 9\}, \qquad 4\mathbb{Z}/12\mathbb{Z} = \{0, 4, 8\}$$

である．このようにつくられた集合を，$\mathbb{Z}/12\mathbb{Z}$ の部分巡回群 (正確な定義は後述) という．

3.2 有限生成アーベル群

有限個の巡回群を直積したものを有限生成アーベル群，特に，直積の中に $\mathbb{Z}$ を含まないものを有限アーベル群と呼ぶ．$(x_1, y_1), (x_2, y_2) \in \mathbb{Z}/m\mathbb{Z} \times \mathbb{Z}/n\mathbb{Z}$ に対して，演算を

$$(x_1, y_1) + (x_2, y_2) = (x_1 + x_2, y_1 + y_2)$$

と定義すると，有限生成アーベル群 G の演算は次のような性質を満たす．

1. (単位元) 任意の a に対して，$a + 0 = a$ となる元 $0 \in G$ が存在する．
2. (逆元) 任意の a に対して，$a + (-a) = 0$ となる元 $-a \in G$ が存在する．
3. (結合則) 任意の $a, b, c \in G$ に対して，$a + (b + c) = (a + b) + c$ が成立する．
4. (可換性) 任意の $a, b \in G$ に対して，$a + b = b + a$

ここでは，詳しく述べないが，上記の性質を満たす演算を持つ有限集合は，有限巡回群の直積で (次節に扱う同型という意味で) 書けるという事実もある．

定理 3.2 (有限生成アーベル群の構造定理)．集合 G が，上記性質を充たす演算において有限生成であれば，それは巡回群の有限直積への分解をもつ．特に，有限集合 G が上記性質を充たす演算をもつならば，それは有限巡回群の有限直積へ分解される．

有限アーベル群 G の元の個数を G の位数といい $\mathrm{ord}(G)$ で表す．巡回群のときと同様，元 $x \in G$ に対して，$m \cdot x = 0$ となる自然数 m のうち最小のものを $\mathrm{ord}(x)$ とする．また，$\mathrm{ord}(x) = \mathrm{ord}(G)$ となる元が存在すれば，それを G の生成元という．

注意．$\mathbb{Z}/2\mathbb{Z} \times \mathbb{Z}/2\mathbb{Z}$ の位数は 4 であるが，その元は全て位数が 2 以下であるため，$\mathbb{Z}/2\mathbb{Z} \times \mathbb{Z}/2\mathbb{Z}$ に生成元は存在しない．一方，$\mathbb{Z}/2\mathbb{Z} \times \mathbb{Z}/3\mathbb{Z}$ の元 $(1, 1)$ は位数が 6 であり，$\mathbb{Z}/2\mathbb{Z} \times \mathbb{Z}/3\mathbb{Z}$ を生成する．

[*3] オイラーのトーシェント関数 $\varphi(n) = n \cdot \displaystyle\prod_{p_i: \text{素因数}} \left(1 - p_i^{-1}\right)$

補題 3.3. 有限生成アーベル群 G の元 a, b について，$m := \mathrm{ord}(a)$，$n := \mathrm{ord}(b)$ とおき，$\ell := \mathrm{lcm}(m, n)$ とする．この時，$\mathrm{ord}(c) = \ell$ となる $c \in G$ が存在する．

証明．まず，$\gcd(m, n) = 1$ である時に示す．$c := a + b$，$r := \mathrm{ord}(c)$ とおくと，

$$\ell \cdot c = \ell(a + b) = \ell \cdot a + \ell \cdot b = 0 + 0 = 0$$

なので $r \mid \ell$ を得る．また，一方で

$$0 = mr \cdot c = mr \cdot a + mr \cdot b = 0 + mr \cdot b = mr \cdot b$$

であるから，$n \mid mr$ である．ここで，m と n は互いに素であるので $n \mid r$ が従う．同様にして，$m \mid r$ も従う．以上より，$\ell \mid r$ であり，従って，$\mathrm{ord}(c) = \ell$ が示された．

　一般の場合は，$m = sx$，$n = ty$，$\gcd(x, y) = 1$，$xy = \ell$ と表すことができる*4ので，$s \cdot a$ と $t \cdot b$ に対して先の議論を適応すればよい． $\square$

　有限生成アーベル群 G の空でない部分集合 H が G の演算で閉じているとき，H は G の部分群であるという．H が部分群であるための条件は，

$$H \subset G \text{ は部分群} \iff x, y \in H \text{ ならば } x - y \in H \text{ である}$$

というように言い表すこともできる．

注意．$\mathbb{Z}/2\mathbb{Z} \times \mathbb{Z}/2\mathbb{Z}$ の部分群 $\{(0,0), (1,1)\}$ を考えると解るように，$G_1 \times G_2$ の部分群はそれぞれの部分群 $H_1 \subset G_1$，$H_2 \subset G_2$ を直積した形 $H_1 \times H_2$ で書けるとは限らない．

　しかし，ここでは深く触れないが，有限生成アーベル群の部分群は有限生成アーベル群となる．という事実は正しい．実際，先の例 $\{(0,0), (1,1)\}$ は $\mathbb{Z}/2\mathbb{Z}$ と同型となる．

　巡回群の考え方を一般化して，有限生成アーベル群の剰余群を構成する．G を有限生成アーベル群，H を G の部分群とする．G において

$$x \sim y \iff x - y \in H$$

と定義すると，関係 $\sim$ は同値法則を満たす．この関係により G を同値類に分けた集合族を G/H で表す．$x \in G$ を含む集合を $[x] := x + H = \{x + h \mid h \in H\}$ とおき，G/H 上の演算を

$$[x] + [y] = [x + y]$$

と定義すると，G/H は先に触れた演算法則を満たすので，有限生成アーベル群となる．

例．$(\mathbb{Z}/12\mathbb{Z})/(4\mathbb{Z}/12\mathbb{Z}) = \{[0], [1], [2], [3]\}$ であり，$\mathbb{Z}/4\mathbb{Z}$ と同型である*5．また，$(\mathbb{Z}/2\mathbb{Z} \times \mathbb{Z}/2\mathbb{Z})/\{(0,0), (1,1)\} = \{[(0,0)], [(0,1)]\}$ であり，$\mathbb{Z}/2\mathbb{Z}$ と同型である．

---

*4 例として，$m = 108$，$n = 120$ として分解してみる．$108 = 2^2 \cdot 3^3$，$120 = 2^3 \cdot 3^1 \cdot 5^1$ であるから，$\ell = 2^3 \cdot 3^3 \cdot 5^1$ となる．分解は ℓ に採用されるかどうかで行う．つまり，$s = 2^2$，$x = 3^3$，$t = 3^1$，$y = \cdot 2^3 \cdot 5^1$ とすればよい．

*5 詳しくは次節参照

定理 3.4 (ラグランジュの定理). 有限アーベル群 G とその部分群 H に対して $\mathrm{ord}(G) = \mathrm{ord}(G/H) \cdot \mathrm{ord}(H)$ が成立する. 特に, 任意の $x \in G$ に対して, $\mathrm{ord}(x)$ は $\mathrm{ord}(G)$ の約数である.

証明. G が有限アーベル群であるから, $\mathrm{ord}(H)$, $\mathrm{ord}(G/H)$ も有限の値をとる. ここで, $G/H = \{[a_1], [a_2], \ldots, [a_r]\}$ と書けたとする. 逆元 $-a_i$ の存在性から, 各 i に対して $[a_i] = \{a_i + h \mid h \in H\}$ の濃度は $\mathrm{ord}(H)$ に一致する. 以上より, 前半の主張が従う. 特に, x で生成される巡回群を考えると, これは G の部分群であるから, 後半も明らか. $\square$

3.3 群準同型定理

定義 3.5. 有限生成アーベル群間の写像 $\rho : G_1 \longrightarrow G_2$ が群準同型写像であるとは次の条件を満たすことである:任意の $a, b \in G_1$ に対して

$$\rho(a + b) = \rho(a) + \rho(b)$$

このような写像に対して, 次の事実が成立する.

命題 3.6. $\rho([0]_{G_1}) = [0]_{G_2}$ であり, $a \in G_1$ に対して $\rho(-a) = -\rho(a)$ が成り立つ.

証明. $\rho(0) + \rho(0) = \rho(0+0) = \rho(0)$ の両辺に $-\rho(0)$ を加えると, $\rho(0) = 0$ を得る. また, $\rho(-a) + \rho(a) = \rho(-a + a) = \rho(0) = 0$ の両辺へ $-\rho(a)$ を加えることで $\rho(-a) = -\rho(a)$ が従う. $\square$

定義 3.7. 群準同型 $\rho : G_1 \longrightarrow G_2$ に対して, 集合 $\mathrm{Im}(\rho)$, $\mathrm{Ker}(\rho)$ を次のように定める.

$$\mathrm{Im}(\rho) := \{\rho(a) \mid a \in G_1\} \subset G_2, \qquad \mathrm{Ker}(\rho) := \{a \in G_1 \mid \rho(a) = 0\} \subset G_1$$

集合 $\mathrm{Im}(\rho)$ を ρ の像, $\mathrm{Ker}(\rho)$ を ρ の核と呼ぶ.

以降, 群準同型写像 $\rho : G_1 \longrightarrow G_2$ に対して, 議論を進めていく.

命題 3.8. $\mathrm{Im}(\rho) \subset G_2$ は部分群である. さらに, G_1 が巡回群ならば, $\mathrm{Im}(\rho)$ も巡回群となる. ここで, a が G_1 の生成元であれば, $\rho(a)$ が $\mathrm{Im}(\rho)$ の生成元となる.

証明. $\mathrm{Im}(\rho)$ の元は, ある $a \in G_1$ によって $\rho(a)$ と表されている. $a, b \in G_1$ に対して

$$\rho(a) + \rho(b) = \rho(a + b), \qquad [0]_{G_2} = \rho([0]_{G_1}), \qquad -\rho(a) = \rho(-a)$$

が全て $\mathrm{Im}(\rho)$ の元である. 従って, $\mathrm{Im}(\rho)$ は G_2 の部分群である.

後半の主張を示す. 任意の $x \in G_1$ は, ある $k \in \mathbb{Z}$ によって $x = k \cdot a$ と表される. このとき, ρ の準同型性から,

$$\rho(x) = \rho(k \cdot a) = k \cdot \rho(a)$$

となり, 従って, $\mathrm{Im}(\rho)$ は $\rho(a)$ によって生成される巡回群である. $\square$

命題 3.9. $\mathrm{Ker}(\rho) \subset G_1$ は部分群である.

証明. 任意の $a, b \in \mathrm{Ker}(\rho)$ に対して, $\rho(a+b) = \rho(a) + \rho(b) = 0 + 0 = 0$, $\rho([0]_{G_1}) = [0]_{G_2}$, $\rho(-a) = -\rho(a) = -0 = 0$ であるから, $a+b,\ 0,\ -a \in \mathrm{Ker}(\rho)$ である. 以上から, $\mathrm{Ker}(\rho)$ は G_1 の部分群であることが従う. □

全単射である群準同型写像を同型写像と呼ぶ. G_1 と G_2 の間に同型写像が存在するとき G_1 と G_2 は同型であると言い, $G_1 \simeq G_2$ と表す.

定理 3.10 (群準同型定理). $G_1/\mathrm{Ker}(\rho)$ と $\mathrm{Im}(\rho)$ は同型となる.

証明. $\rho : G_1 \longrightarrow G_2$ に対して, $\bar{\rho} : G_1/\mathrm{Ker}(\rho) \longrightarrow \mathrm{Im}(\rho)$ を次のように定める.

$$a \in G_1 \text{ に対して } \bar{\rho}([a]) = \rho(a).$$

まずは, この $\bar{\rho}$ が矛盾無く定義されていることを示す. $G_1/\mathrm{Ker}(\rho)$ において $[a] = [b]$ であるような $a, b \in G_1$ を考える. このとき $a - b \in \mathrm{Ker}(\rho)$ であるから

$$0 = \rho(a-b) = \rho(a) - \rho(b)$$

を得る. 従って, $\mathrm{Im}(\rho)$ において $\rho(a) = \rho(b)$ である. これで, 第一の主張が示された.

次に, $\bar{\rho}$ が群準同型であることを示す. 任意の $a, b \in G_1$ に対して

$$\bar{\rho}([a] + [b]) = \bar{\rho}([a+b]) = \rho(a+b) = \rho(a) + \rho(b) = \bar{\rho}([a]) + \bar{\rho}([b]).$$

よって, $\bar{\rho}$ は群準同型写像である.

最後に, $\bar{\rho}$ の全単射性を示す. 全射性は $\rho(a) = \bar{\rho}([a])$ であるから明らか. また, 任意の $a, b \in G_1$ について, $\bar{\rho}([a]) = \bar{\rho}([b])$ であれば, $\rho(a) = \rho(b)$ であるから,

$$\rho(a-b) = \rho(a) - \rho(b) = \rho(a) - \rho(a) = 0$$

となる. これは $a - b \in \mathrm{Ker}(\rho)$ を意味しているので $[a] = [b]$. つまり, $\bar{\rho}$ は単射. □

3.4 中国剰余定理

定理 3.11 (中国剰余定理). n と m が互いに素な自然数のとき, 以下の同型が成り立つ.

$$\mathbb{Z}/mn\mathbb{Z} \simeq \mathbb{Z}/m\mathbb{Z} \times \mathbb{Z}/n\mathbb{Z}$$

逆に, m, n が共通素因子をもつ自然数である場合, $\mathbb{Z}/m\mathbb{Z} \times \mathbb{Z}/n\mathbb{Z}$ は巡回群とならない.

証明. 群準同型定理から, 命題の前半の主張を示すには, 写像

$$\rho : \mathbb{Z} \longrightarrow \mathbb{Z}/m\mathbb{Z} \times \mathbb{Z}/n\mathbb{Z}, \qquad \rho(x) = ([x]_{\mathbb{Z}/m\mathbb{Z}}, [x]_{\mathbb{Z}/n\mathbb{Z}})$$

が全射準同型写像であり，その核 $\mathrm{Ker}(\rho)$ が $mn\mathbb{Z}$ と等しいことが示されれば十分である．定義から群準同型であることは明らかであるので，まずは全射性を示す．

全射性を示すためには，任意の $(a,b) \in \mathbb{Z}/m\mathbb{Z} \times \mathbb{Z}/n\mathbb{Z}$ に対して，連立方程式

$$x \equiv a \pmod{m}, \qquad\qquad x \equiv b \pmod{n}$$

が解を持つことを示せばよい．m と n が互いに素であるから，ユークリッドの互除法[*6]より，$mu + nv = 1$ を充たす $u, v \in \mathbb{Z}$ が存在する．この u, v を用いて，$x = anv + bmu$ とすることで，目的の解を得ることができた．

次に，$\mathrm{Ker}(\rho) = mn\mathbb{Z}$ であることを示す必要があるが，$\mathrm{Ker}(\rho) \supset mn\mathbb{Z}$ は明らかであり，また，m と n が互いに素なことから，$\mathrm{Ker}(\rho) \subset mn\mathbb{Z}$ もすぐに従う．

後半の主張を示す．$\mathbb{Z}/m\mathbb{Z} \times \mathbb{Z}/n\mathbb{Z}$ が巡回群 $\mathbb{Z}/N\mathbb{Z}$ と同型である場合，その位数から $N = mn$ でなくてはならない．しかし，有限アーベル群 $\mathbb{Z}/n\mathbb{Z} \times \mathbb{Z}/m\mathbb{Z}$ の任意の元は位数が高々 $\ell := \mathrm{lcm}(n, m) < mn$ であるが，巡回群 $\mathbb{Z}/mn\mathbb{Z}$ には位数 mn の元がある．これは矛盾であり，従って，$\mathbb{Z}/m \times \mathbb{Z}/n\mathbb{Z}$ は $\mathbb{Z}/mn\mathbb{Z}$ とは同型とはならない． □

注意．中国剰余定理を用いることで，定理 3.2 で触れた分解をより詳しく分類できる：任意の有限アーベル群 G は，ある重複素因数分解 $\mathrm{ord}(G) = p_1^{e_1} \cdot p_2^{e_2} \cdots p_s^{e_s}$ を用いて

$$G \simeq \mathbb{Z}/p_1^{e_1}\mathbb{Z} \times \mathbb{Z}/p_2^{e_2}\mathbb{Z} \times \cdots \times \mathbb{Z}/p_s^{e_s}\mathbb{Z}$$

ただし，「$i = 1, \ldots, s-1$ に対して，$p_i = p_{i+1}$ であれば，$e_i \leq e_{i+1}$」を満たす．

例：$\mathbb{Z}/12\mathbb{Z} \times \mathbb{Z}/8\mathbb{Z} \simeq \mathbb{Z}3\mathbb{Z} \times \mathbb{Z}/4\mathbb{Z} \times \mathbb{Z}/8\mathbb{Z} \simeq \mathbb{Z}/2^2\mathbb{Z} \times \mathbb{Z}/2^3\mathbb{Z} \times \mathbb{Z}/3\mathbb{Z}$

この条件の下では，分解は一意的なものとなる．

例．位数 $100 = 2^2 \times 5^2$ の有限アーベル群は，以下のいずれかと同型である．

$$(\mathbb{Z}/2\mathbb{Z})^2 \times (\mathbb{Z}/5\mathbb{Z})^2, \quad \mathbb{Z}/4\mathbb{Z} \times (\mathbb{Z}/5\mathbb{Z})^2, \quad (\mathbb{Z}/2\mathbb{Z})^2 \times \mathbb{Z}/25\mathbb{Z}, \quad \mathbb{Z}/4\mathbb{Z} \times \mathbb{Z}/25\mathbb{Z}$$

4 有限体

4.1 素体 $\mathbb{F}_p$ の構成

巡回群を構成した時と同様に，素数 p に対し，整数を p で割った余りの集合

$$\mathbb{F}_p := \mathbb{Z}/p\mathbb{Z} = \{0, 1, \ldots, p-1\}$$

を考える．集合 $\mathbb{F}_p$ の元同士を加算して得られた値が p を超えた場合，p でくくり直してあげると，値はまた $\mathbb{F}_p$ の元になる．つまり，$\mathbb{F}_p$ は和に関して閉じている．また，積に関しても同様に考えると，$\mathbb{F}_p$ は積に関しても閉じていることが解る．

[*6] 計算の詳細は次節

+	0	1	2	3	4
0	0	1	2	3	4
1	1	2	3	4	0
2	2	3	4	0	1
3	3	4	0	1	2
4	4	0	1	2	3

×	0	1	2	3	4
0	0	0	0	0	0
1	0	1	2	3	4
2	0	2	4	1	3
3	0	3	1	4	2
4	0	4	3	2	1

命題 4.1. 整数を素数 p で割った余りで構成される集合 $\mathbb{F}_p$ には体の構造が入る．つまり，$\mathbb{F}_p$ 上の和と積は次の性質を満たす．特に，有限の要素から成る体を有限体という．

1. （和の交換律）任意の $a, b \in \mathbb{F}_p$ に対して，$a + b = b + a$.
2. （和の結合律）任意の $a, b, c \in \mathbb{F}_p$ に対して，$(a + b) + c = a + (b + c)$.
3. （零元）ある元 $0 \in \mathbb{F}_p$ が存在して，任意の $a \in \mathbb{F}_p$ に対して $a + 0 = a$.
4. （和に関する逆元）任意の $a \in \mathbb{F}_p$ に対して $-a \in \mathbb{F}_p$ が存在して $a + (-a) = 0$.
5. （積の交換律）任意の $a, b \in \mathbb{F}_p$ に対して，$a \times b = b \times a$.
6. （積の結合律）任意の $a, b, c \in \mathbb{F}_p$ に対して，$(a \times b) \times c = a \times (b \times c)$
7. （単位元）0 でないある元 $1 \in \mathbb{F}_p$ が存在し，任意の $a \in \mathbb{F}_p$ に対して $a \times 1 = a$.
8. （分配律）任意の $a, b, c \in \mathbb{F}_p$ に対して，$(a + b) \times c = a \times c + b \times c$.
9. （積に関する逆元）任意の $a\ (\neq 0)$ に対して，$a \times a^{-1} = 1$ となる a^{-1} が存在．

証明．整数上の演算より，「積に関する逆元の存在」以外は明らかである．

「積に関する逆元の存在」に関しては，素数 p に対して，$0 < a < p$ を満たす整数 a と p は互いに素であるから，ユークリッドの互除法により，等式

$$ax = 1 + py$$

を満たす整数 x，つまり，a^{-1} が存在する． □

例．ユークリッドの互除法により，$\mathbb{F}_{97}$ における 23^{-1} を求めてみる．

$$\begin{cases} 23 \times 0 + 97 \times 1 = 97 & ① \\ 23 \times 1 + 97 \times 0 = 23 & ② \end{cases} \xrightarrow[\substack{②残す}]{①-②\times4} \begin{cases} 23 \times (-4) + 97 \times 1 = 5 & ①' \\ 23 \times 1 + 97 \times 0 = 23 & ② \end{cases}$$

$$\xrightarrow[\substack{②-①'\times4}]{①'残す} \begin{cases} 23 \times (-4) + 97 \times 1 = 5 & ①' \\ 23 \times 17 + 97 \times (-4) = 3 & ②' \end{cases}$$

$$\xrightarrow[\substack{②'残す}]{①'-②'} \begin{cases} 23 \times (-21) + 97 \times 5 = 2 & ①'' \\ 23 \times 17 + 97 \times (-4) = 3 & ②' \end{cases}$$

$$\xrightarrow{②'-①''} 23 \times 38 + 97 \times (-9) = 1$$

よって，$23 \times 38 = 1 + 97 \times 9$ が得られたので，$\mathbb{F}_{97}$ では $23^{-1} = 38$ が従う．

補題 4.2. 体 K における d 次方程式

$$x^d + a_{d-1}x^{d-1} + \cdots + a_1 x + a_0 = 0$$

の解の個数は高々 d 個である.

証明. 一般の体でも剰余の定理が成り立つ. 相異なる解 $\alpha_1, \alpha_2, \ldots, \alpha_{d+1}$ が存在したとすると $x^d + a_{d-1}x^{d-1} + \cdots + a_1 x + a_0 = (x - \alpha_1) \cdots (x - \alpha_d)$ であるが, 右辺に $x = \alpha_{d+1}$ を代入しても 0 にはならない. なぜなら, $\alpha_{d+1} - \alpha_i \neq 0, (i = 1, \ldots, d)$ であり, 体 K は零因子を含まないからである. $\square$

注意. これは一般の環 (命題 4.1 における性質 9 が成り立たない集合) では成り立たない. 例えば, $\mathbb{Z}/8\mathbb{Z}$ における二次方程式 $x^2 = 1$ の解は $x = 1, 3, 5, 7$ の 4 つである.

命題 4.3 (原始根の存在定理). 有限体 K の乗法群 $K^\times := K \setminus \{0\}$ は巡回群である.

証明. $n := \mathrm{ord}(K^\times)$ とおき, 全ての $x_i \in K^\times$ に対して $m := \mathrm{lcm}(x_i)$ とする. 定理 3.4 により m は n の約数であるから $m \leq n$ である. 一方で, 任意の $x \in G$ は $x^m - 1$ を満たすが, 補題 4.2 より, $x^m - 1$ の根は高々 m 個であるから $n \leq m$ である. 以上をまとめると $m = n = \mathrm{ord}(K^\times)$ であり, 補題 3.3 より $K^\times$ が巡回群であることが従う. $\square$

注意. この命題は, 群として $\mathbb{F}_p^\times \simeq \mathbb{Z}/(p-1)\mathbb{Z}$ であることを主張している.

例. 有限体 $\mathbb{F}_{41}$ の乗法群 $\mathbb{F}_{41}^\times$ は巡回群 $\mathbb{Z}/40\mathbb{Z}$ と同型である. 2 の冪を計算すると,

$$2^1 \equiv 2, \qquad 2^2 \equiv 4, \qquad 2^3 \equiv 8, \qquad 2^4 \equiv 16, \qquad 2^5 \equiv 32,$$

$$2^6 \equiv 64 \equiv -18, \quad 2^7 \equiv -36 \equiv 5, \quad 2^8 \equiv 10, \quad 2^9 \equiv 20, \quad 2^{10} \equiv 40 \equiv -1$$

であるから, 2 の位数は 20 であることがわかる. 次に, 3 の冪を計算すると,

$$3^1 \equiv 3, \qquad 3^2 \equiv 9, \qquad 3^3 \equiv 27 \equiv -14, \qquad 3^4 \equiv -42 \equiv -1$$

ゆえに, 3 の位数は 8 である. ここで, $2^{\frac{20}{5}} = 24$ の位数は 5 であり, 5 と 8 の最大公約数が 1 であるから

$$2^4 \cdot 3 \equiv 48 \equiv 7 \pmod{41}$$

が位数 40 の元となる. つまり, $\mathbb{F}_{41}^\times$ は 7 を生成元とする巡回群である.

命題 4.4. K を有限の要素をもつ体とする. このとき, ある素数 p が存在して $K \supset \mathbb{F}_p$ が成り立つ. 特に, 要素数が p である体は本質的に一つである.

証明. $p \cdot 1 = 0$ となる最小の自然数を, その体の標数という. まずは, 任意の有限体に対して, 標数が素数であることを示す. もし, p が素数でなければ $p = p_1 \cdot p_2, (p_1, p_2$ は 1 より大きく p より小さな自然数) という分解をもつ. このとき, $0 = p \cdot 1 = (p_1 \cdot 1) \cdot (p_2 \cdot 1)$ となる. ここで, $1 < p_1 < p$ であるから, p_1 は K の中で逆元をもつ. この逆元を全辺に

かけることで，$0 = p_1^{-1} \cdot (p_1 \cdot 1) \cdot (p_2 \cdot 1) = p_2 \cdot 1$ を得るが，この式は p の最小性に反する．これより，標数 p は素数であることから，1 で生成される部分体は $\mathbb{F}_p$ と等しい．　□

このように包含関係にある状態を，K は $\mathbb{F}_p$ の体拡大であると表したり，$\mathbb{F}_p$ は K の部分体であると表す．次の節では，この体拡大を具体的に構成する方法を解説する．

4.2　体拡大 $\mathbb{F}_{p^n}$ の構成

ここでは，実数体 $\mathbb{R}$ と複素数体 $\mathbb{C}$ の関係を一般化することで，有限体 $\mathbb{F}_p$ の拡大を考察する．複素数とは，実数には存在しない元 $i = \sqrt{-1}$ を用いて $a + bi$ と表記される数のことであり，その演算は

$$(a_1 + b_1 i) \pm (a_2 + b_2 i) = (a_1 \pm a_2) + (b_1 \pm b_2)i$$
$$(a_1 + b_1 i) \times (a_2 + b_2 i) = (a_1 a_2 - b_1 b_2) + (a_1 b_2 + a_2 b_1)i$$
$$\frac{1}{a + bi} = \frac{a - bi}{(a + bi)(a - bi)} = \frac{a}{a^2 + b^2} + \frac{-b}{a^2 + b^2}i$$

で与えられている．ここで，この演算は，「① i に関する計算は多項式と同様に行い，② i^2 が出てくれば，それを -1 に置き換える」と言い表すことができる．

これら二つの事柄を表す記号

① $\mathbb{R}[X]$ (実数係数多項式の集合)　　　　② $X^2 + 1 = 0$

を二つ用意し，これらを合わせた記号，

$$\mathbb{R}[X]/(X^2 + 1)$$

によって，「$\mathbb{R}$ には存在しない元 X に対して多項式を作り，その計算過程で $X^2 + 1$ が出ればそれを 0 とする．」と表現する．以上の構成法から，明らかに $\mathbb{C}$ と $\mathbb{R}[X]/(X^2 + 1)$ は，$X = i$ とすると同じ体を表している．

例．$\mathbb{F}_5$ における平方は，$1^2 = 1$, $2^2 = 4$, $3^2 = 4$, $4^2 = 1$ であるから，$\mathbb{F}_5$ 内に $\sqrt{-1}$ は存在するが，$\sqrt{2}$ や $\sqrt{3}$ は存在しない．そこで，$\mathbb{F}_5(\sqrt{2}) = \mathbb{F}_5[X]/(X^2 - 2)$ や $\mathbb{F}_5(\sqrt{3}) = \mathbb{F}_5[X]/(X^2 - 3)$ といった二次拡大体が考えられる．

では，$\mathbb{F}_2$ の場合はどうであろうか．この場合，$\mathbb{F}_2$ の元は全て平方で閉じているので，拡大体は無いように思われる．しかし，二次方程式 $X^2 + X + 1$ を考えた時，これは $\mathbb{F}_2$ 内で解を持たない．よって，この方程式を解くためには，$\mathbb{F}_2[X]/(X^2 + X + 1)$ という体を構成する必要がある．（$\mathbb{F}_2$ では $-1 = 1$ であることに注意.）

$\times$	0	1	X	$X+1$
0	0	0	0	0
1	0	1	X	$X+1$
X	0	X	$X+1$	1
$X+1$	0	$X+1$	1	X

命題 4.5. $F \in \mathbb{F}_p[X]$ を次数 n の既約多項式とする. このとき, $\mathbb{F}_p[X]/(F)$ は体である. また, 線型空間としては $\mathbb{F}_p[X]/(F) \simeq (\mathbb{F}_p)^{\oplus n}$ であり, 特に $\#\mathbb{F}_p[X]/(F) = p^n$ である.

証明. 体上の一変数多項式環においては, 次数に関して剰余の原理を保持する. つまり, $\mathbb{F}[X]$ の元を F で割った余りは, 必ず n 未満の次数を持つ. 逆に, 次数が n より小さい多項式を F で割ることは不可能なので, $\mathbb{F}_p[X]/(F) = \mathbb{F}_p \cdot 1 + \mathbb{F}_p \cdot X + \cdots + \mathbb{F}_p \cdot X^{n-1}$ である. また, この除法に関してユークリッドの互除法を行うことができるので, 素体 $\mathbb{F}_p$ のときと同様の議論により, 逆元の存在も示せる. 従って, $\mathbb{F}_p[X]/(F)$ は有限体である. □

例. $\mathbb{F}_2[X]/(X^5 + X^2 + 1)$ における $X^2 + 1$ の逆元は $X^4 + X^2 + X + 1$ である.

定義 4.6. 素数 p の冪 $q := p^n$ に対して, $\mathbb{F}_p$ の拡大体 $\mathbb{F}_{p^n}$ を次のように定める.

$$\mathbb{F}_q = \mathbb{F}_{p^n} := \mathbb{F}_p[X]/(X^q - X)$$

ただし, $\mathbb{F}_p$ 内にある根に関しては, これを用いて $(X^q - X)$ を割っておく.

注意. $n \geq 2$ に対して $(\mathbb{F}_p)^{\oplus n}$ は体になり得ないので, 体としては $\mathbb{F}_{p^n} \not\simeq (\mathbb{F}_p)^{\oplus n}$ である.

例. $X^{12} + 1 = 0$, $X^6 + 1 = 0$, $X^3 + 1 = 0$, $X + 1 = 0$ はすべて $\mathbb{F}_5$ で解をもつため, $\mathbb{F}_{5^2} = \mathbb{F}_5[X]/(X^2 + X + 1)$ である. これより, $\mathbb{F}_{5^2} \neq \mathbb{F}_5[\sqrt{2}]$, $\mathbb{F}_{5^2} \neq \mathbb{F}_5[\sqrt{3}]$ であるが, 後ほどこれらは全て本質的には同じもの (同型) であることを見る.

命題 4.7. $\mathbb{F}_{p^m}$ が $\mathbb{F}_{p^n}$ の部分体であることとと, m が n の約数であることは同値である.

証明. もし, $\mathbb{F}_{p^m} \subset \mathbb{F}_{p^n}$ とする. このとき, $\mathbb{F}_{p^n}$ は $\mathbb{F}_{p^m}$-ベクトル空間で, その次元は n/m である. つまり, m は n の約数である. 逆に, $m|n$ と仮定する. このとき,

$$p^n - p^m = (p^m - 1)(p^{n-m} + p^{n-2m} + \cdots + p^{2m} + p^m)$$

であるから,

$$x^{p^n} - x = (x^{p^m} - x)(1 + x^{p^m-1} + x^{2(p^m-1)} + \cdots + x^{p^n - p^m})$$

という分解を得る. これは, $x^{p^m} - x$ の根が $x^{p^n} - x$ の根でもあるということを示しているため, $\mathbb{F}_{p^m} \subset \mathbb{F}_{p^n}$ が従う. □

以上の議論をまとめて一般化すると, 次の定理となる. (詳しくは述べない.)

11

定理 4.8. ζ_{p^n-1} を代数閉体 $\bar{\mathbb{F}}_p$ における 1 の原始 $p^n - 1$ 乗根とする. このとき, 各自然数 n ごとに

$$\mathbb{F}_{p^n} = \mathbb{F}_p(\zeta_{p^n-1})$$

が成り立つ. また, ζ_m を代数閉体 $\bar{\mathbb{F}}_p$ における 1 の原始 m 乗根としたとき, 次が成り立つ.

$$\bar{\mathbb{F}}_p = \bigcup_{n \geq 1} \mathbb{F}_{p^n} = \bigcup_{p \nmid m} \mathbb{F}_p(\zeta_m)$$

証明. [藤] p.84 ∎

4.3 有限体上の準同型とガロア群

定義 4.9. 体 K_1, K_2 間の準同型写像とは以下を満たす関数 $\varphi \colon K_1 \longrightarrow K_2$ である
1. 任意の元 $a, b \in K_1$ に対して, $\varphi(a + b) = \varphi(a) + \varphi(b)$
2. 任意の元 $a, b \in K_1$ に対して, $\varphi(a \cdot b) = \varphi(a) \cdot \varphi(b)$
3. $\varphi(1_{K_1}) = 1_{K_2}$

加えて, 全単射であるような準同型写像を同型写像といい, 同型写像が存在する二つの体は同型であるといい, $K_1 \simeq K_2$ や $K_1 \xrightarrow{\sim} K_2$ と表す.

例. 恒等写像 $\mathrm{id} \colon K \xrightarrow{\sim} K$ は同型写像であるから, 体 K は自身と自明的に同型である. このような同型を自己同型という.

命題 4.10. $q = p^n$ を素数冪とする. q 個の元から成る体は $\mathbb{F}_q$ に同型である.

証明. $n = 1$ であれば, 何も示すことはないので, 以下 $n \geq 2$ であるとする. 濃度が q である任意の体 K を考える. 題意を示すには, $\mathbb{F}_p \subsetneq K$ であり, K の元が全て $x^q - x$ を満たすことを示せばよい. まず, 命題 4.4 から K の標数は p であり, $p < q$ でもあるので, $\mathbb{F}_p \subsetneq K$ であることが解る. 次に, 各 $\alpha \in K^\times$ の位数を考えると, ラグランジュの定理から, それは $q - 1$ を割り切るので, $\alpha^{q-1} = 1$ である. よって, 0 を含む K の元は全て $x^q - x$ の根となっている. よって, $x \in K \setminus \mathbb{F}_p$ を対応する X の多項式へ送れば, 同型 $K \xrightarrow{\sim} \mathbb{F}_q$ が得られる. (この同型は一種類ではない.) □

例. $\mathbb{F}_5[\sqrt{3}]$ における $x^2 - 2$ の根は $x = \pm 2\sqrt{3}$ であるから, $\sqrt{2} \longmapsto 2\sqrt{3}$ とすることで, $\mathbb{F}_5[\sqrt{2}] \xrightarrow{\sim} \mathbb{F}_5[\sqrt{3}]$ は同型である. また, 同様に, $\sqrt{2} \longmapsto 3(X - 1)$ とすることで, 同型 $\mathbb{F}_5[\sqrt{2}] \xrightarrow{\sim} \mathbb{F}_{5^2}$ が得られる.

命題 4.11. 体上の準同型は単射である. 特に, 素体 $\mathbb{F}_p$ 上の自己同型は恒等射のみである.

証明. 任意の体準同型 $\varphi \colon K_1 \longrightarrow K_2$ に対して, 「$\varphi(x) = 0 \implies x = 0$」が示されればよい. 仮に, $x \neq 0$ かつ $\varphi(x) = 0$ を満たす $x \in K_1$ が存在したとする. このとき,

$$0 = 0 \cdot \varphi(x^{-1}) = \varphi(x) \cdot \varphi(x^{-1}) = \varphi(x \cdot x^{-1}) = \varphi(1) = 1$$

であるが，これは $K_1 = \{0\}$ を意味しており，$0 \neq x \in K_1$ に矛盾する. $\quad\square$

補題 4.12. 有限体 $\mathbb{F}_{p^n}$ 上のフロベニウス写像 Fr_p を，$\mathbb{F}_{p^n} \longrightarrow \mathbb{F}_{p^n}$，$x \longmapsto x^{p^n}$ として定義される写像とする．これは，$\mathbb{F}_{p^n}$ の自明ではない自己同型となっている.

証明．$0 < r < p^n$ に対して $p \mid {}_{p^n}C_r$ であるから，二項定理を用いると，

$$1^{p^n} = 1, \qquad (a+b)^{p^n} = a^{p^n} + b^{p^n}, \qquad \text{and} \qquad (a \cdot b)^{p^n} = a^{p^n} \cdot b^{p^n}$$

という計算結果が導かれる. $\quad\square$

補題 4.13. $q = p^m$ を素数冪とする．このとき，$\{x \in \mathbb{F}_{q^n} \mid \mathrm{Fr}_q(x) = x\} = \mathbb{F}_q$ である.

証明．命題 4.3 と定理 3.4 から，任意の $\alpha \in \mathbb{F}_q^\times$ の位数は $q - 1$ を割り切る．よって

$$\alpha^q = \alpha^{q-1} \cdot \alpha = 1 \cdot \alpha = \alpha$$

が得られる．加えて，$0^q = 0$ であるから，$\mathbb{F}_q \subset \{x \in \mathbb{F}_{q^n} \mid \mathrm{Fr}_q(x) = x\}$ が従う.
　一方，$x^q - x$ の根は高々 q 個であるから，先の結果と合わせて題意が示された. $\quad\square$

　代数学を学ぶ上で，ガロアの基本理論をマイルストーンとする者は多い．これは，ガロア拡大と呼ばれる体拡大 $K \subset L$ に対して，ガロア群と呼ばれる自己同型から成る群

$$\mathrm{Gal}(L/K) := \{x \in K \text{ に対して } \sigma(x) = x \text{ を満たす自己同型 } \sigma: L \longrightarrow L\}$$

が定義でき，拡大体の中間体とガロア群の部分群に一対一の対応があるというものである.
　ここでは，詳しく触れないが，有限体の任意の有限次拡大はガロア拡大となることが知られている．次の命題は，$\mathbb{F}_q \subset \mathbb{F}_{q^n}$ が巡回拡大と呼ばれる拡大であることを示している.

命題 4.14. ガロア群 $\mathrm{Gal}(\mathbb{F}_{q^n}/\mathbb{F}_q)$ は n 次巡回群であり，その同型は次で与えられる.

$$\mathrm{Gal}(\mathbb{F}_{q^n}/\mathbb{F}_q) \overset{\sim}{\longrightarrow} \mathbb{Z}/n\mathbb{Z}, \qquad\qquad \mathrm{Fr}_q \longmapsto 1$$

証明．すべての自己同型がフロベニウス写像の繰り返しとなっていることを示す．α を巡回群 $\mathbb{F}_{q^n}^\times$ の生成元とする．自己同型の性質から $\sigma(\alpha^n) = (\sigma(\alpha))^n \in \mathbb{F}_{q^n}^\times$ であり，$\sigma(\alpha)$ も $\mathbb{F}_{q^n}^\times$ の生成元である．以上の考察から，自己同型 σ は，生成元 α の行き先で完全に決定されるという事実が従う．また，体準同型の単射性とガロア群の定義から $\alpha \in \mathbb{F}_q^\times \Longleftrightarrow \sigma(\alpha) \in \mathbb{F}_q^\times$ であるため，$\alpha \in \mathbb{F}_{q^n}^\times \setminus \mathbb{F}_q^\times$ に対する $\sigma(\alpha)$ は，α を根にもつ n 次規約多項式 $F \in \mathbb{F}_q[X]$ の他の根となっている．以上から，$\sigma(\alpha)$ の候補は，α 自身を含む高々 n 通りであることが解る．（つまり，$\mathrm{ord}\,(\mathrm{Gal}(\mathbb{F}_{q^n}/\mathbb{F}_q)) \leq n$ である.）
　以下，取り得る可能性がすべて Fr_q の冪で尽くされること，つまり α, $\mathrm{Fr}_q(\alpha)$, $\mathrm{Fr}_q^2(\alpha)$, ..., $\mathrm{Fr}_q^{n-1}(\alpha)$ がすべて異なる元であることを示す．そのためには，$\mathrm{Fr}_q^i(\alpha) = \alpha$ となる最小の i を求めればよい．$\mathbb{F}_{q^n}$ の生成元として α をとったので，$\mathrm{ord}(\alpha) = q^n - 1$ である．ここで，$\mathrm{Fr}_q^i(\alpha) = \alpha \Longleftrightarrow \alpha^{q^i} = \alpha \Longleftrightarrow \alpha^{q^i - 1} = 1$ に注意すると，$p^n - 1 \mid p^i - 1$ であるから，

i の最小値は n となる．以上の結果と，先に得ていた結果「自己同型は生成元の行き先で決定される」とを合わせることで，ガロア群は $\mathrm{Gal}(\mathbb{F}_{q^n}/\mathbb{F}_q)$ は $\{\mathrm{id},\ \mathrm{Fr}_q,\ \mathrm{Fr}_q^2,\ \ldots,\ \mathrm{Fr}_q^{n-1}\}$ と等しく，$\mathbb{Z}/n\mathbb{Z}$ と同型であることが示された． $\qquad\square$

例．体拡大 $\mathbb{F}_5(\sqrt{2})/\mathbb{F}_5$ のガロア群は $\mathrm{Fr}_5\colon \sqrt{2}\longmapsto \sqrt{2}^5 = -\sqrt{2}$ で生成される．

以上をまとめて一般化すると，次の定理となる．（詳しくは述べない．）

定理 4.15. 有限体 $\mathbb{F}_q$ の絶対ガロア群 $\mathrm{Gal}(\bar{\mathbb{F}}_q/\mathbb{F}_q)$ は

$$\mathrm{Gal}(\bar{\mathbb{F}}_q/\mathbb{F}_q) \xrightarrow{\sim} \hat{\mathbb{Z}} := \varprojlim \mathbb{Z}/n\mathbb{Z} \simeq \prod_{\ell:\text{素数}} \mathbb{Z}_\ell, \qquad \mathrm{Fr}_q \longmapsto 1$$

なる同型をもつ．（$\varprojlim$ は n に関する射影極限を表し，$\mathbb{Z}_\ell := \varprojlim \mathbb{Z}/\ell^n\mathbb{Z}$ とする．）

証明．[藤] 付録 $\qquad\blacksquare$

注意．$\hat{\mathbb{Z}}$ は巡回群ではないので，フロベニウス自己同型は，生成元とはなりえない．しかしながら，フロベニウス自己同型は $\mathbb{F}_q$ の全ての有限拡大のガロア群の生成元であるので，絶対ガロア群の全ての有限商の生成元である．これより，絶対ガロア群上のクルル位相において生成元となる．

5　有限体上の楕円曲線

5.1　定義方程式と有理点

定義 5.1. $p > 3$ を満たす素数 p に対して，三次方程式

$$E\colon Y^2 Z = X^3 + aXZ^2 + bZ^3 \qquad (a, b \in \mathbb{F}_{p^n},\ \Delta_E := 4a^3 + 27b^2 \neq 0)$$

または，これを満たす解の比で定義される集合

$$E(\mathbb{F}_{p^n}) := \{(X:Y:Z) \mid Y^2 Z = X^3 + aXZ^2 + bZ^3,\ (X,Y,Z) \in (\mathbb{F}_{p^n})^3 \setminus (0,0,0)\}$$
$$= \{(x,y) \in (\mathbb{F}_{p^n})^2 \mid y^2 = x^3 + ax + b\} \cup \{\mathcal{O} = (0,1,0)\}$$

を $\mathbb{F}_{p^n}$ 上の楕円曲線といい，その元を E の $\mathbb{F}_{p^n}$-有理点という．以下，簡単に $Z = 1$ とした方程式でも楕円曲線を表す．

注意．条件 $4a^3 + 27b^2 \neq 0$ は $x^3 + ax + b$ が重根を持たないことと同値であり，これは曲線が「滑らか」であることを意味する．

有理点の集合が一致していることは，両辺を $Z^3 \neq 0$ で割る事で確認できる．

$$(X:Y:Z) = \left(\frac{X}{Z} : \frac{Y}{Z} : 1\right) \qquad \left(\frac{Y}{Z}\right)^2 = \left(\frac{X}{Z}\right)^3 + a\left(\frac{X}{Z}\right) + b$$

例. $\Delta_E = 4 \cdot 1^3 + 27 \cdot 1^2 \equiv 1 \pmod 5$ であるから，$E: y^2 = x^3 + x + 1$ は $\mathbb{F}_5$ 上の楕円曲線を定義する．しかし，$\Delta_{E'} = 4 \cdot 2^3 + 27 \cdot 3^2 \equiv 0 \pmod 5$ であるから，$E: y^2 = x^3 + 2x + 3$ の解集合は $\mathbb{F}_5$ 上の楕円曲線ではない．

例. $\mathbb{F}_5$ 上の楕円曲線 $y^2 = x^3 + 2x + 1$ の $\mathbb{F}_5$-有理点と $\mathbb{F}_5(\sqrt{2})$-有理点

P_0	$\mathcal{O}$		
P_1	$(0,1)$	P_2	$(0,4)$
P_3	$(1,2)$	P_4	$(1,3)$
P_5	$(3,2)$	P_6	$(3,3)$

P_7	$(\sqrt{2}, 2+\sqrt{2})$	P_8	$(\sqrt{2}, 3+4\sqrt{2})$
P_9	$(2\sqrt{2}, 1)$	P_{10}	$(2\sqrt{2}, 4)$
P_{11}	$(3\sqrt{2}, 1)$	P_{12}	$(3\sqrt{2}, 4)$
P_{13}	$(4\sqrt{2}, 2+4\sqrt{2})$	P_{14}	$(4\sqrt{2}, 3+\sqrt{2})$
P_{15}	$(2, 2\sqrt{2})$	P_{16}	$(2, 3\sqrt{2})$
P_{17}	$(2+2\sqrt{2}, 2+\sqrt{2})$	P_{18}	$(2+2\sqrt{2}, 3+4\sqrt{2})$
P_{19}	$(2+3\sqrt{2}, 2+4\sqrt{2})$	P_{20}	$(2+3\sqrt{2}, 3+\sqrt{2})$
P_{21}	$(3+2\sqrt{2}, 2+\sqrt{2})$	P_{22}	$(3+2\sqrt{2}, 3+4\sqrt{2})$
P_{23}	$(3+3\sqrt{2}, 2+4\sqrt{2})$	P_{24}	$(3+3\sqrt{2}, 3+\sqrt{2})$
P_{25}	$(4, 2\sqrt{2})$	P_{26}	$(4, 3\sqrt{2})$
P_{27}	$(4+\sqrt{2}, 2+3\sqrt{2})$	P_{28}	$(4+\sqrt{2}, 3+2\sqrt{2})$
P_{29}	$(4+2\sqrt{2}, 1+3\sqrt{2})$	P_{30}	$(4+2\sqrt{2}, 4+2\sqrt{2})$
P_{31}	$(4+3\sqrt{2}, 1+2\sqrt{2})$	P_{32}	$(4+3\sqrt{2}, 4+3\sqrt{2})$
P_{33}	$(4+4\sqrt{2}, 2+2\sqrt{2})$	P_{34}	$(4+4\sqrt{2}, 3+3\sqrt{2})$

5.2 楕円曲線上の演算と群構造

定義 5.2. 楕円曲線 E 上の点 P, Q に対して，直線 PQ（$P = Q$ の場合は接線）と E との交点で P, Q とは異なる点を $P * Q$ と表記する．このとき，楕円曲線 E 上の演算 $P + Q$ を，$\mathcal{O} * (P * Q)$ で定義する．ここで，$\mathcal{O} * P$ は P の y-座標を -1 倍する操作に対応する．また，P と演算させることで $\mathcal{O}$ が導かれる点を $-P$ と名付ける．

命題 5.3. 体 K 上の楕円曲線 $E: y^2 = x^3 + ax + b$ 上の二点 $P(x_1, y_1)$, $Q(x_2, y_2)$ に対して，$-P$, $P+Q$, $P+P$ は K 上定義され，次のように表される．

1. $-P = (x_1, -y_1)$，特に $P = -P \iff y_1 = 0$
2. $P + Q = \left(m^2 - x_1 - x_2, \ m(x_1 - x_3) - y_1 \right)$, $m = \dfrac{y_2 - y_1}{x_2 - x_1}$

15

3. $P + P = (m^2 - 2x_1,\ m(x_1 - x_3) - y_1),\quad m = \dfrac{dy}{dx}(x_1, y_1) = \dfrac{3x_1^2 + a}{2y_1}$

証明. まずは, $E : Y^2 Z = X^3 + a X Z^2 + b Z^3$ 上で

$$(x_1 : y_1 : 1) + (x_1 : -y_1 : 1) = (0 : 1 : 0)$$

が成り立つことを確認する. $P,\ -P$ を通る直線は $X = x_1 Z$ であるから, E の方程式と連立させることで, $Y^2 Z = x_1^3 Z^3 + a x_1 Z^3 + b Z^3$ という関係式を得る. $Z \neq 0$ である場合には $y = Y/Z$ とすると $y^2 = x_1^3 + a x_1 + b = 0$ であるから, $y = \pm y_1$ である. 従って, $P * (-P)$ は $Z = 0$ の場合, つまり $\mathcal{O}$ に対応する. 加えて, $(0 : -1 : 0) = (0 : 1 : 0)$ であることを考慮することで, $P + (-P) = \mathcal{O}$ であることが確認された.

次に, $P \neq \pm Q$ の仮定の下, $P + Q$ の座標を求める. $P,\ Q$ を通る直線 PQ は, 傾き $m = (y_2 - y_1)(x_2 - x_1)^{-1}$ を用いて, $y - y_1 = m(x - x_1)$ と表される. これを, E の方程式に代入することで, $(mx - mx_1 + y_1)^2 = x^3 + ax + b$ という関係を得る. この方程式は定数項が K の元であり, K に二つの解 $x_1,\ x_2$ を持つので, 三つ目の解 x_3 も K の元である必要があることに注意しておく. この三つの解 $x_1,\ x_2,\ x_3$ を用いて因数分解

$$(x - x_1)(x - x_2)(x - x_3) = x^3 + ax + b - (mx - mx_1 + y_1)^2$$

が得られる. 方程式における x^2 の係数を比較することで, $x_3 = m^2 - x_1 - x_2$ が従う. また, $x = x_3$ を PQ の方程式 $y = m(x - x_1) + y_1$ へ代入し -1 を乗ずることで, $y_3 = -m(x_3 - x_1) - y_1$ という表示が得られる.

最後に, $P \neq -P$ の仮定の下, $P + P$ を計算する. E の方程式を x で微分すると

$$2y \cdot \frac{dy}{dx} = 3x^2 + a$$

であるから, P における接線の傾きは $m = (3x^2 + a)(2y_1)^{-1}$ となる. 先の議論と同様に

$$(x - x_1)^2 (x - x_3) = x^3 + ax + b - (mx - mx_1 + y_1)^2$$

を満たす $x_3 \in K$ が存在し, $x_3 = m^2 - 2x_1,\ y_3 = -m(x_3 - x_1) - y_1$ が従う. $\qquad\square$

例. $\mathbb{F}_5$ 上の楕円曲線 $y^2 = x^3 + 2x + 1$ における有理点の演算結果

$+$	$\mathcal{O}$	P_1	P_2	P_3	P_4	P_5	P_6
$\mathcal{O}$	$\mathcal{O}$	P_1	P_2	P_3	P_4	P_5	P_6
P_1	P_1	P_4	$\mathcal{O}$	P_2	P_6	P_3	P_5
P_2	P_2	$\mathcal{O}$	P_3	P_5	P_1	P_6	P_4
P_3	P_3	P_2	P_5	P_6	$\mathcal{O}$	P_4	P_1
P_4	P_4	P_6	P_1	$\mathcal{O}$	P_5	P_2	P_3
P_5	P_5	P_3	P_6	P_4	P_2	P_1	$\mathcal{O}$
P_6	P_6	P_5	P_4	P_1	P_3	$\mathcal{O}$	P_2

定理 5.4. E は，この演算によって有限アーベル群となる．つまり，次の性質を満たす.

    1. 任意の 2 点 $P, Q \in E$ に対して，$P + Q \in E$ である.

    2. (可換性) 任意の 2 点 $P, Q \in E$ に対して，$P + Q = Q + P$

    3. (単位元) 任意の点 P に対して，$P + \mathcal{O} = \mathcal{O} + P = P$

    4. (逆元) 任意の点 P に対して，$P + (-P) = \mathcal{O}$ となる点 $-P \in E$ が存在する.

    5. (結合則) 任意の 3 点 $P, Q, R \in E$ に対して，$P + (Q + R) = (P + Q) + R$ が成立する.

証明．ここでは，各点が「一般の位置[*7]」に配置されている場合の証明を行う．また，点 $\mathcal{O}$ も統一的に扱いたいので，本証明では方程式は全て斉次方程式を指す.

    P, Q を通る直線を ℓ_0 とおく．この直線は点 $-(P+Q)$ で E と交わる．$\mathcal{O}$ と $-(P+Q)$ を通る直線を m_2 とすると，これは $P+Q$ で交わる.

    同様に，Q, R を通る直線を m_0 とおく．この直線は点 $-(Q+R)$ で E と交わる．$\mathcal{O}$ と $-(Q+R)$ を通る直線を ℓ_2 とすると，これは $Q+R$ で交わる.

    R と $P+Q$ を通る直線 ℓ_1 と E が交わる点を S，Q と $P+R$ を通る直線 m_1 と E が交わる点を T とする．(次の図を参照.)

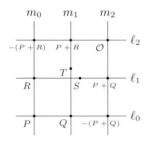

図 1　$P + (Q + R) = (P + Q) + R$

    ここで，$S = -((Q + P) + R)$，$T = -(Q + (P + R))$ であるから，$S = T$ を示す事が目標となる．そのために，$S \neq T$ であると仮定して矛盾を導く．$g(x, y, z) = \ell_0 \cdot \ell_1 \cdot \ell_2$（$\ell_0, \ell_1, \ell_2$ を定義する方程式を掛けた 3 次式），$h(x, y, z) = m_0 \cdot m_1 \cdot m_2$ とする．各点が一般的な位置にあり，$S \neq T$ の仮定から，$g(T) \neq 0$ かつ $h(S) \neq 0$ としてもよい.

    ベクトル空間 $V \subset K[X, Y, Z]$ を体 K 上 3 次単項式で張られる空間であるとする．このベクトル空間 V の次元は ${}_5C_2 = 10$ である．先の議論により，g と h は V において互いに独立な元を定める．また，異なる 8 点 $\mathcal{O}$，P，Q，R，$\pm(Q + P)$，$\pm(Q + R)$ 上で 0 となる斉次多項式で張られる部分空間は 2 次元であるから，g と h がその基底となって

[*7] ここでいう「一般の位置」とは，$P, Q, R, \mathcal{O}, P + Q, P + R$ が全て異なる点であり，どの 3 点も同一直線上にない，ということを意味する．より特殊な場合の証明は，先に述べた公式を元に代数的に得られるが，非常に煩雑であるため，計算機を用いた演習としたい.

いる．ここで，E の定義方程式である $f = X^3 + aXZ^2 + bZ^3 - ZY^2$ は V の非零元であるから，$f = sg + th$ のように g と h の線型結合で表される．ここで，S, T はともに E 上の点であるから，$f(S) = f(T) = 0$ を満たす．しかし，$g(S) = h(T) = 0$ であり，$g(T) \neq 0$ かつ $h(S) \neq 0$ でもある．これらの関係を満たすには，$s = t = 0$ である必要があるが，これは $f \neq 0$ に反する． $\square$

5.3　楕円曲線上の有理関数と j-不変量

体 K 上の楕円曲線 $E : y^2 = x^3 + ax + b$ の座標環を $\mathscr{O}(E) := K[x,y]/(y^2 - x^3 - ax - b)$ と定義する．これは，K の元を係数とする多項式の集合に $y^2 = x^3 + ax + b$ という関係を入れたものである．$\mathscr{O}(E)$ の元は $E \longrightarrow K$ なる写像を与えることに注意しておく．有限体の拡大とは違い，この集合には「割り算」が定義されない．座標環を部分環として含む最小の体

$$K(E) := \left\{ \frac{G}{F} \mid F, G \in \mathscr{O}(E), F \neq 0 \right\}$$

を E 上の (有理) 関数体という．

定義 5.5. 体 K 上の楕円曲線 E_1, E_2 間の代数射とは，$R_1, R_2 \in K(E_1)$ の組であって，$(x, y) \in E_1(\bar{K})$ に対し $(R_1(x, y), R_2(x, y)) \in E_2(\bar{K})$ を満たすものをいう．また，(R_1, R_2) が ($\mathcal{O}$ を含む) 定数であるとき，定数写像であるという．

補題 5.6. 体 K 上の有理写像 $\phi\colon E_1(\bar{K}) \longrightarrow E_2(\bar{K})$ が群準同型となっている場合[8]，

$$\phi(x, y) = \left(\frac{u(x)}{v(x)}, \frac{s(x)}{t(x)} y \right)$$

となる K 上の多項式 $u(x), v(x), s(x), t(x) \in K[x]$ が存在する．

証明．$\phi(x, y) = (r_1(x, y), r_2(x, y))$ とし，y^2 を $x^3 + ax + b$ と置き換えることで，$p_{11}, p_{12}, p_{13}, p_{14}, p_{21}, p_{22}, p_{23}, p_{24} \in K[x]$ を用いた次の形式を得る．

$$r_1(x, y) = \frac{p_{11}(x) + p_{12}(x)y}{p_{13}(x) + p_{14}(x)y}, \qquad r_2(x, y) = \frac{p_{21}(x) + p_{22}(x)y}{p_{23}(x) + p_{24}(x)y}$$

これらの分母分子に，それぞれ $p_{i3}(x) - p_{i4}(x)y$, $(i = 1, 2)$ を乗じた後，再び y^2 を $x^3 + ax + b$ とすることで，新たに $q_{11}, q_{12}, q_{13}, q_{21}, q_{22}, q_{23} \in K[x]$ を用いた表示を得る．

$$r_1(x, y) = \frac{q_{11}(x) + q_{12}(x)y}{q_{13}(x)}, \qquad r_2(x, y) = \frac{q_{21}(x) + q_{22}(x)y}{q_{23}(x)},$$

---

[8] つまり，$\phi(\mathcal{O}_1) = \mathcal{O}_2$, $\phi(P + Q) = \phi(P) + \phi(Q)$

次に，ϕ の群準同型性から，任意の $P \in E_1(\bar{K})$ に対して $\phi(-P) = -\phi(P)$ が従うが，それは $\phi(x, -y) = -\phi(x, y)$ であることを表しているので，次の関係式が従う．

$$(r_1(x, -y), r_2(x, -y)) = (r_1(x, y), -r_2(x, y))$$

以上を満たすには $q_{12}(x) = q_{21}(x) = 0$ である必要があり，これが望む形だった．□

補題 5.7. 上の補題において，定数写像でない $\phi\colon E_1(\bar{K}) \longrightarrow E_2(\bar{K})$ は全射となる．

証明．まず，$\mathcal{O}_2 = \phi(\mathcal{O}_1)$ であるから，$(\alpha, \beta) \in E_2(\bar{K})$ で表される点のみ考えればよい．以降，$\phi = (r_1(x), r_2(x)y)$ として，$(r_1(x_0), r_2(x_0)y_0) = (\alpha, \beta)$ となる (x_0, y_0) を与える．
　そのために，方程式 $u(x)/v(x) = \alpha$，つまり $u(x) - \alpha v(x) = 0$ を考える．
　まずは，$u(x) - \alpha v(x)$ が定数でないとする．このとき，$\bar{K}$ が代数閉体であるから，その根 $x_0 \in \bar{K}$ は存在する．また，同様に，E_1 の定義方程式 $y^2 = x^3 + a_1 x + b_1$ を満たす点 $(x_0, \pm y_1) \in E_1(\bar{K})$ も存在する．条件から，$\phi(x_0, y_1) = (r_1(x_0), r_2(x_0)y_1) = (\alpha, \beta')$ となるが，$(\alpha, \beta') \in E_2(\bar{K})$ であるため，$\beta' = \beta$ か $\beta' = -\beta$ である．前者であれば $y_0 = y_1$ とし，後者であれば $y_0 = -y_1$ とすれば題意を満たす．
　つぎに，$u(x) - \alpha v(x)$ が定数となる場合を考える．$u(x)$ が定数である場合，$v(x)$ も定数となり，逆像（多項式の根）の有限性に反してしまうので，$u(x)$ は定数とはならない．$u(x)$ が定数ではないという条件下で $u(x) - \alpha v(x)$ を定数とするために，$v(x)$ も定数になることはない．以上の条件を満たす α は高々 1 つである．このような α_0 が存在したとして，その逆元を見つける．さきの議論により，$\left(\alpha_0, \pm\sqrt{\alpha_0^3 + a_2\alpha_0 + b_2}\right)$ 以外の点は ϕ の像に入っている．これは無限集合であるから，

$$(\alpha', \beta') = \left(\alpha_0, \sqrt{\alpha_0^3 + a_2\alpha_0 + b_2}\right) + (\alpha, \beta) \neq \left(\alpha_0, \sqrt{\alpha_0^3 + a_2\alpha_0 + b_2}\right)$$

となる $(\alpha, \beta), (\alpha', \beta')$ が ϕ の像に存在する．従って，ϕ の準同型性から，その差である $\left(\alpha_0, \sqrt{\alpha_0^3 + a_2\alpha_0 + b_2}\right)$ も像の元であることが従う．同様の議論を $\left(\alpha_0, -\sqrt{\alpha_0^3 + a_2\alpha_0 + b_2}\right)$ にも適用することで，証明を終える．□

定義 5.8. 群準同型代数射[*9]を同種写像といい，K 係数の同種写像によって結ばれる二つの楕円曲線を K 上同種であるといい，$E_1 \sim_K E_2$ と表す．また，K 係数の全単射同種写像によって結ばれる二つの楕円曲線を K 上同型であるといい，$E_1 \simeq_K E_2$ と表す．

命題 5.9. K 上の楕円曲線 $E_1 : y^2 = x^3 + a_1 x + b_1$ と $E_2 : y^2 = x^3 + a_2 x + b_2$ が K 上同型であることと，$a_1 = \mu^4 a_2, b_1 = \mu^6 b_2$ を満たす $\mu \in K^\times$ が存在することは同値．

証明．同型を与える有理写像を $\phi(x, y) = (r_1(x), r_2(x)y)$, $r_1, r_2 \in K(x)$ とする．ϕ の単射性から $\mathrm{Ker}(\phi) = \{\mathcal{O}_1\}$ であるので，r_1 は一次多項式となる必要がある．$\alpha \neq 0$ を用い

[*9] $\phi(\mathcal{O}_1) = \mathcal{O}_2$ を満たす定数写像ではない代数射は全射準同型となるのだが，深くは扱わない．細かな設定と証明は [S] III.Thm4.8 や [W] Thm.12.10 を参照されたい．

て $r_1(x) = \alpha x + \beta$ と表すと，E_2 の定義方程式から以下の等式を得る．

$$r_2(x)^2(x^3 + a_1 x + b_1) = r_2(x)^2 y^2 = (\alpha x + \beta)^3 + a_2(\alpha x + \beta) + b_2$$

両辺の x に関する次数を比較することで，r_2 が定数であることが解る．以降 $c := r_2(x)$ とする．次に x^2 の係数を比較することで，$\beta = 0$ であることが従い，x^3 の係数を比較することで，等式 $c^2 = \alpha^3$ を得る．これにより，$\mu := c/\alpha \in K^\times$ とおくことで，等式

$$a_2 = \mu^4 a_1, \qquad\qquad b_2 = \mu^6 b_1$$

が得られた．逆に，この等式が成り立つとすると，次数 1 の同種写像 $\phi(x, y) = (\mu^2 x, \mu^3 y)$ が E_1 と E_2 の同型写像となる． $\square$

定義 5.10. 体 K の楕円曲線 $E : y^2 = x^3 + ax + b$ に対して j-不変量を次で定義する．

$$j(E) := 1728\frac{4a^3}{4a^3 + 27b^2} \in K$$

注意．任意の $j \in K$ に対して，$j(E) = j$ となる楕円曲線が存在する．実際，

$$E : \begin{cases} y^2 = x^3 + \frac{3j}{1728-j}x + \frac{2j}{1728-j} & j \neq 0, 1728 \\ y^2 = x^3 + b & j = 0 \\ y^2 = x^3 + ax & j = 1728 \end{cases}$$

定理 5.11. K 上同型な 2 つの楕円曲線は同じ j-不変量をもつ．[*10]

証明．先の命題より明らか．

$$j(E_2) = 1728\frac{4a_2^3}{4a_2^3 + 27b_2^2} = 1728\frac{4(\mu^2 a_1)^3}{4(\mu^2 a_1)^3 + 27(\mu^3 b_1)^2} = 1728\frac{4a_1^3}{4a_1^3 + 27b_1^2} = j(E_1)$$

$\square$

5.4 同種写像

本節では，先の節で定義した同種写像に関する様々な性質を解説する．

定義 5.12. $\phi(x, y) = \left(\frac{u(x)}{v(x)}, \frac{s(x)}{t(x)}y\right)$ を先の節で定めた標準型の同種写像とする．ϕ の次数 $\deg\phi$ を $\max\{\deg u, \deg v\}$ で定義する．$\phi = \mathcal{O}$ であるときは，その次数を 0 と定義する．また，$\frac{d}{dx}\left(\frac{u(x)}{v(x)}\right) \neq 0$ であるとき，ϕ は分離的であるという．

注意．次数が 1 の同種写像は同型写像である．

[*10] 逆に，同じ j-不変量をもつ楕円曲線は $\bar{K}$ 上同型である．

注意. 定義体の標数が 0 であるとき，任意の同種写像は分離的である．定義体の標数が $p > 0$ であるとき，非分離同種写像は次のような状況にある．

$$\frac{d}{dx}\left(\frac{u}{v}\right) = 0 \iff \frac{d}{dx}u = \frac{d}{dx}v = 0 \iff u = u_0(x^p) \text{ かつ } v = v_0(x^p)$$

定義 5.13. E を標数 $p > 3$ の体 K 上定義された楕円曲線とする．次で定義される次数 p の同種写像 Fr_p をフロベニウス写像という．

$$\mathrm{Fr}_p = \left(x^p, (x^3 + ax + b)^{\frac{p-1}{2}} y\right)$$

注意. フロベニウス写像 Fr_p は点 $(X : Y : Z) \in E(\bar{K})$ に対して，$(X^p : Y^p : Z^p) \in E(\bar{K})$ を対応させるものであり，$\mathrm{Ker}\,\mathrm{Fr}_p = \{\mathcal{O}\}$ であることに注意しておく．

また，$q = p^n$ に対して，$\mathrm{Fr}_q := (\mathrm{Fr}_p)^n$ とすると，ラグランジュの定理から，$\mathbb{F}_q$ 上の楕円曲線 E に関して $\mathrm{Fr}_q : E(\mathbb{F}_q) \longrightarrow E(\mathbb{F}_q)$ は恒等写像となる．

次に述べるように，任意の同種写像は分離的同種写像とフロベニウス写像に分解される．

命題 5.14. ϕ を標数 $p > 3$ である体 K 上に定義された楕円曲線 E_1, E_2 間の同種写像とする．このとき，次を満たす分離的同種写像 $\phi_{\mathrm{sep}} : E_1 \longrightarrow E_2$ と整数 $n \geq 0$ が存在する．

$$\phi = \phi_{\mathrm{sep}} \circ (\mathrm{Fr}_p)^n$$

証明. $\phi(x, y) = \left(\frac{u(x)}{v(x)}, \frac{s(x)}{t(x)} t\right)$ とする．先の議論により，$r_1 \in K(x)$ を用いて $\frac{u(x)}{v(x)} = r_1(x^p)$ とできる．まずは，$r_2 \in K(x)$ を用いて $\frac{s(x)}{t(x)} y = r_2(x^p) y^p$ とできることを示す．u/v，および s/t を E_2 の定義方程式へ代入し，E_1 の定義方程式を用いて整理すると，

$$v^3 s^2 f = t^2 w, \qquad f(x) = x^3 + a_1 x + b_1, \qquad w = u^3 + a_2 u v^2 + b_2 v^3$$

という関係を得る．ここで，ϕ が分離的ではないことより $u' = v' = 0$ であるから，$w' = 0$ であり，従って $\left(\frac{w}{v^3}\right)' = \left(\frac{s^2 f}{t^2}\right)' = 0$ となる．以上から，ある多項式 g, h を用いて，$s(x)^2 f(x) = g(x^p)$，$t(x)^2 = h(x^p)$ とすることができる．$\bar{K}$ における $g(x^p)$ の根は全て重複度 p をもち，$\bar{K}$ における f の根は全て相異なるので，ある多項式 g_1 を用いて，$s^2 f = s_1^2 f^p$，$s_1(x) = g_1(x^p)$ と表される[*11]．以上を踏まえると，$K(E_1)$ において

$$(s(x) y)^2 \equiv s(x)^2 f(x) = g_1(x^p)^2 f(x)^p \equiv g_1(x^p)^2 y^p$$

という結果を得る．ここで，$r(x) = g_1(x)/h(x)$ とおくことで，

$$\left(\frac{s(x)}{t(x)} y\right)^2 \equiv \left(\frac{g_1(x^p)}{h(x^p)} y^p\right)^2 = (r(x^p) y^p)^2$$

[*11] 今は，$p > 3$ であることに注意

21

となる．ここで，無限個の点において符号を除いて値が一致する関数は，関数として符号の違いしかないため，$r_2 = \pm r$ を満たす関数をもって，$\frac{s(x)}{t(x)}y \equiv r_2(x^p)y^p$ が成立する．

先の議論を受けて，$\phi = (r_1(x), r_2(x)y) \circ \mathrm{Fr}_p$ とすることができる．前半の部分が分離的になるまでこれを繰り返せば，有限回の操作で目的の表示が得られる．$\qquad\square$

補題 5.15. 定数でない分離的な同種写像 $\phi\colon E_1(\bar{K}) \longrightarrow E_2(\bar{K})$ の核 $\mathrm{Ker}\,\phi$ は，その次数に等しい位数をもつ有限部分群となる．

証明．$\phi(x,y) = \left(\frac{u(x)}{v(x)}, \frac{s(x)}{t(x)}y\right)$ とする．$\phi(E(\bar{K}))$ が無限集合であるから，点 $(\alpha, \beta) \in \phi(E(\bar{K}))$ で，α が $u(x)$ と $v(x)$ の最大次項の係数比ではなく，$\beta \neq 0$ となるものが存在する．この (α, β) の逆像 $S(\alpha, \beta) := \{(x,y) \in E_1(\bar{K}) \mid \phi(x,y) = (\alpha, \beta)\}$ を考える．ϕ の群準同型性から，$\#\mathrm{Ker}\,\phi = \#S(\alpha, \beta)$ が従う．また，$(x_0, y_0) \in S(\alpha, \beta)$ に関して

$$\frac{u(x_0)}{v(x_0)} = \alpha, \qquad\qquad \frac{s(x_0)}{t(x_0)}y_0 = \beta$$

が成立している．ϕ が (x_0, y_0) で定義されていることから，$t(x_0) \neq 0$ であり，加えて $\beta \neq 0$ であることから $s(x_0) \neq 0$ である．以上から，$y_0 = b \cdot t(x_0)s(x_0)^{-1}$ は x_0 から一意に定まる．よって，$\#S(\alpha, \beta)$ を得るためには $u(x) - \alpha v(x) = 0$ の根を数えれば良い．

今，α の条件から，$\deg(u(x) - \alpha v(x))$ は $\deg\phi$ と一致している．従って，題意を示すには，$P(x) := u(x) - \alpha v(x)$ が重根を持たない α が存在する事を示せば良い．ここで，

$$x_0 \in \bar{K} \text{ が } P(x) \text{ の重根} \iff P'(x_0) = P(x_0) = 0 \iff \begin{cases} \alpha v(x_0) = u(x_0) \\ \alpha v'(x_0) = u'(x_0) \end{cases}$$

である．最後の式から α を消すことで，等式 $u'(x_0)v(x_0) = v'(x_0)u(x_0)$ を得る．しかし，ϕ の分離性から，恒等的には $u'(x)v(x) - v'(x)u(x) \neq 0$ であるから，このような x_0 は有限個である．$\qquad\square$

注意．上の証明において ϕ が分離的でないとすると，$u'(x)v(x) - v'(x)u(x)$ が恒等的に 0 であり，$u(x) - \alpha v(x) = 0$ は常に重根を持つ．つまり，核の位数は $\deg\phi$ より小さい．

定義 5.16. 楕円曲線 E 上の点 P と，$m \in \mathbb{Z}$ に対して，$[m]\colon E \longrightarrow E$ を次で定める．

$$[0]P = \mathcal{O}, \quad [m]P = \underbrace{P + \cdots + P}_{m \text{ 個}} \ (m > 0), \quad [m]P = \underbrace{(-P) + \cdots + (-P)}_{-m \text{ 個}} \ (m < 0)$$

この写像は，核 $\mathrm{Ker}[m]$ を $E[m] := \{P \in E(\bar{K}) \mid [m]P = \mathcal{O}\}$ とする同種写像である．実際，(-1)-倍写像は $[-1] = (x, -y)$ で表され，2-倍写像は次のように表される．

$$[2] = \left(\frac{x^4 - 2ax^2 - 8bx + a^2}{4(x^3 + ax + b)}, \frac{x^6 + 5ax^4 + 20bx^3 - 5a^2x^2 - 4abx - a^3 - 8b^2}{8(x^3 + ax + b)^2}y\right)$$

また，より一般的に，0 でない整数 m に対する m-倍写像 $[m]$ は次のように表される．

命題 5.17. 楕円曲線 $E : y^2 = x^3 + ax + b$ に対する分割多項式 ψ_m を，次の初期値

$$\psi_1 := 1, \qquad \psi_2 := 2y$$
$$\psi_3 := 3x^4 + 6ax^2 + 12bx - a^2,$$
$$\psi_4 := 4y(x^6 + 5ax^4 + 20bx^3 - 5a^2x^2 - 4abx - a^3 - 8b^2)$$

と，漸化式

$$\psi_{2m+1} = \psi_{m+2}\psi_m^3 - \psi_{m-1}\psi_{m+1}^3, \qquad\qquad (m \geq 2),$$
$$2y\psi_{2m} = (\psi_{m+2}\psi_{m-1}^2 - \psi_{m-1}\psi_{m+1}^2)\psi_m, \qquad (m \geq 3)$$

で定める．これらを用いることで，m-倍写像を有理函数の形で表現することができる．

$$[m]P = \left(\frac{\phi_m(P)}{\psi_m(P)^2}, \frac{\omega_m(P)}{\psi_m(P)^3} \right), \qquad \begin{array}{l} \phi_m := x\psi_m^2 - \psi_{m+1}\psi_{m-1} \\ \omega_m := (4y)^{-1}(\psi_{m-1}^2\psi_{m+2} - \psi_{m-2}\psi_{m+1}^2) \end{array}$$

証明．[W] Thm.9.33 に解析的な証明が，[S] Ex.3.7 に数学的帰納法による純代数的な証明の示唆がある．基本的には，楕円曲線の群構造から直接計算ができるので，煩雑を避けるため，詳細は読者に任せたい．∎

補題 5.18. 上で定めた ϕ_m と ψ_m は共通因子を持たない．

証明．$x_0 \in \bar{K}$ を ϕ_m と ψ_m の共通因子とし，$P = (x_0, y_0)$ を $\mathcal{O}$ ではない $E(\bar{K})$ 上の点する．このとき，$\psi_m^2(x_0) = 0$ であるから，$mP = \mathcal{O}$ である．加えて，次の関係式

$$0 = \phi_m(x_0) = x_0\psi_m^2(x_0) - \psi_{m+1}(x_0, y_0)\psi_{m-1}(x_0, y_0) = \psi_{m+1}(x_0, y_0)\psi_{m-1}(x_0, y_0)$$

から，$\psi_{m+1}(x_0, y_0)$ と $\psi_{m-1}(x_0, y_0)$ の一方は 0 であることが解る．このことは $(m-1)P = \mathcal{O}$ か $(m+1)P = \mathcal{O}$ であることを示しているのだが，$mP = \mathcal{O}$ であることと合わせると，$-P = \mathcal{O}$，または $P = \mathcal{O}$ となり矛盾する．□

定理 5.19. m-倍写像 $[m]$ の次数は m^2 である．また，$[m]$ が分離的であることと，定義体 K の標数 p が m を割り切らないことは同値である．

証明．命題 5.17 から $\deg \phi_m = m^2$，$\deg \psi_m^2 \leq m - 1$ である．また，補題 5.18 より ϕ_m と ψ_m は共通因子を持たないので，最初の主張が従う．

つぎに，p が m を割り切らないと仮定する．このとき，ϕ_m' の最高次数項の係数 $m^2 x^{m^2-1}$ は 0 とはならない．よって，先の議論から $[m]$ は分離的である．

最後に，m が p の倍数であるとする．このとき，ψ_m^2 の最高次数項 $m^2 x^{m^2-1}$ が消えるため $\deg \psi_m^2 < m^2 - 1$ となる．$\mathrm{Ker}[m]$ は $\mathcal{O}$ と $\psi_m(x_0)$ を満たす $(x_0, y_0) \in E(\bar{K})$ で構成されるのだが，多項式の根の個数に関する補題 4.2 から，$\mathrm{Ker}[m]$ の位数は m^2 より少ないことが解る．よって，補題 5.15 から，$[m]$ は分離的ではあり得ない．□

先の補題では，同種写像の核が有限部分群となることを確認した．次に紹介する公式は，逆に，任意の有限部分群 $G \subset E(\bar{K})$ に対して，その部分群を核とする同種写像が構成できる，ということを主張している．その像となる楕円曲線は同型を除いて一意に定まることも示せるのだが，詳細には立ち入らない．このように，同種写像の像となる楕円曲線を，その核 G を用いて，E/G と表記する．（群準同型定理の表記と比べられたい．）

定理 5.20. $E : y^2 = x^3 + ax + b$ を体 K 上定義された楕円曲線とし，$x_0 \in \bar{K}$ を $x^3 + ax + b$ の根の一つとする．このとき，有理函数の組

$$\phi(x, y) := \left(\frac{x^2 - x_0 x + 3x_0^2 + a}{x - x_0}, \frac{(x - x_0)^2 - 3x_0^2 - a}{(x - x_0)^2} y \right)$$

は，E から $E' : y^2 = x^3 + (15x_0 - 4a)x + b - 21x_0^3 - 7ax_0$ への同種写像を与え，その核 $\mathrm{Ker}\,\phi$ は点 $(x_0, 0)$ で生成される位数 2 の部分群となっている．

証明．その次数と微分の計算から，ϕ が次数が 2 である分離的写像である．また，分母の形から $(x_0, 0) \in \mathrm{Ker}\,\phi$ であることも容易に確かめられるので，補題 5.15 により，$\mathrm{Ker}\,\phi = \langle (x_0, 0) \rangle$ である．

　$E/\mathrm{Ker}\,\phi \subset E'$ であることを確認するためには，与えられた式が，E' の定義方程式を満たすことを確かめればよいのだが，紙面の関係で読者に任せたい．最後に，補題 5.7 で述べたように，定数射でない同種写像は全射であるから，$E/\mathrm{Ker}\,\phi \simeq E'$ となる．　□

　以上の議論を一般化すると，次の定理となる．ただし，$x(P)$ で点 P の x-座標を表す．

定理 5.21 (ヴェルーの公式). 体 K 上定義された楕円曲線 $E : y^2 = x^3 + ax + b$ に関して，$G \subset E(\bar{K})$ を有限部分群とする．このとき，$E/G : y^2 = x^3 + a'x + b'$ の係数は

$$a' = a - 5 \sum_{Q \in G \setminus \{\mathcal{O}\}} \left[3x(Q)^2 + a \right],$$

$$b' = b - 7 \sum_{Q \in G \setminus \{\mathcal{O}\}} \left[5x(Q)^3 + 3ax(Q) + b \right]$$

であり，分離的同種写像 $\phi : E \longrightarrow E/G$ は次のような対応

$$x(\phi(P)) = x(P) + \sum_{Q \in G \setminus \{\mathcal{O}\}} \left[x(P + Q) - x(Q) \right],$$

$$y(\phi(P)) = y(P) + \sum_{Q \in G \setminus \{\mathcal{O}\}} \left[y(P + Q) - y(Q) \right],$$

で与えられ，それを表現される有理函数の組は次の $r(x)$ を用いて $(r(x), r'(x)y)$ となる．

$$r(x) := x + \sum_{Q \in G \setminus \{\mathcal{O}\}} \left(\frac{3x(Q)^2 + a}{x - x(Q)} + \frac{2y(Q)^2}{(x - x(Q))^2} \right)$$

証明．[W] Thm.12.16　∎

注意. 一般に, E/G は非特異であることが示せるのだが, 証明が煩雑なので, ここでは認める. 証明は, [S] III. Prop.4.12, [W] Thm.12.17 等を参照されたい.

例. $E : y^2 = x^3 + x$ 上の点 $P(0,0)$ は位数 2 の点である. ヴェルーの公式より

$$E/\langle P \rangle : y^2 = x^3 - 4x, \qquad \phi(x,y) = \left(\frac{x^2 + 1}{x}, \frac{x^2 - 1}{x^2} y \right)$$

と置くことで, $G = \{\mathcal{O}, (0,0)\}$ を核とする同種写像 $\phi : E \longrightarrow E/G$ が得られる. また, E を射影曲線表示 $E : Y^2 Z = X^3 + X Z^2$ としたときの, $E/G : Y^2 Z = X^3 - 4X Z^2$ への射は次のように表される. ($\mathcal{O}$ も含め, 全ての点で定義されている)

$$
\begin{aligned}
\phi(X : Y : Z) &= \left(Y^2 Z : Y(X^2 - Z^2) : X^2 Z \right) \\
&= \left(X(X^2 + Z^2) : Y(X^2 - Z^2) : X^2 Z \right) \\
&= \left(Y(X^2 + Z^2) : XY^2 - X^2 Z - Z^3 : XYZ \right) \\
&= \left(Y^2 Z : Y(X^2 - Z^2) : X^2 Z \right) \\
&= \left(XY^2 : Y(Y^2 - 2XZ) : X^3 \right)
\end{aligned}
$$

これから, ヴェルーの公式で得た楕円曲線 E/G の一意性を証明するのだが, ガロア理論を始めとする体論の議論が主になる. これらの議論に慣れていない読者は一旦飛ばして, 読み進められと良いと思う.

定理 5.22. 体 K 上定義された楕円曲線 E, E_1, E_2 と, $\bar{K}$ 上定義された分離的同種写像 $\phi_1 : E \longrightarrow E_1, \phi_2 : E \longrightarrow E_2$ に関して, $\mathrm{Ker}\,\phi_1 = \mathrm{Ker}\,\phi_2$ であったとすると, E_1 と E_2 は $\bar{K}$ 上同型である. つまり, $G \subset E(\bar{K})$ を核とする分離的同種写像 $\phi' : E \longrightarrow E'$ があったとすると, 上で構成した E/G と同型となる.

証明. 見通しを良くするために, E_i の定義方程式を $y_i^2 = x_i^3 + a_i x_i + b_i$ とする. 条件より, ϕ_1 は $\bar{K}$ 係数の有理関数 $r_1(x), r_2(x)$ を用いて, $(x_1, y_1) = \phi_1(x,y) = (r_1(x), r_2(x)y)$ と書けている. これにより, $\bar{K}(E_1) \subset \bar{K}(E)$ となっている. $r_1(x)$ を共通因子を持たない多項式 $p(x), q(x)$ を用いて $r_1(x) = p(x)/q(x)$ とすると, $p(T) - x_1 q(T) \in \bar{K}(x_1)[T]$ は次数 $\deg \phi_1$ の既約多項式である. 従って, $\bar{K}(x)/\bar{K}(x_1)$ の拡大次数は $\deg \phi_1$ となる. また, $Y(t)^2 = X(t)^3 + a X(t) + b$ を満たす定数でない多項式 $X(t), Y(t) \in \bar{K}(t)$ が存在しないことから, $[\bar{K}(x,y) : \bar{K}(x)] = 2$ である. 以上の考察から,

$$
\begin{aligned}
[\bar{K}(x,y) : \bar{K}(x_1, y_1)] \times 2 &= [\bar{K}(x,y) : \bar{K}(x_1, y_1)][\bar{K}(x_1, y_1) : \bar{K}(x_1)] \\
&= [\bar{K}(x,y) : \bar{K}(x)][\bar{K}(x) : \bar{K}(x_1)] \\
&= 2 \deg \phi_1
\end{aligned}
$$

が従うので, $[\bar{K}(x,y) : \bar{K}(x_1, y_1)] = \deg \phi_1$ を得る.

$Q \in \mathrm{Ker}\,\phi_1$ とし, $\sigma_Q\colon (x,y) \longmapsto (x,y)+Q$ を考える. 逆写像 σ_{-Q} の存在から, これは $\bar{K}(E)$ 上の同型[*12]を与える. また, 包含 $\bar{K}(E_1) \subset \bar{K}(E)$ に関して

$$\sigma_Q(x_1,y_1) = \sigma_Q(\phi_1(x,y)) = \phi_1\left((x,y)+Q\right) = (x_1,y_1)+\mathcal{O}$$

であるから, $\mathrm{Ker}\,\phi_1 \curvearrowright \bar{K}(x_1,y_1)$ は自明な作用である. よって, $\bar{K}(E)$ における $\mathrm{Ker}\,\phi_1$ の固定部分体は $\bar{K}(E_1)$ を含む. しかし, ϕ_1 の分離性から, $\#\,\mathrm{Ker}\,\phi_1 = \deg\phi_1$ であるので, $\mathrm{Ker}\,\phi_1$ の固定部分体は $\bar{K}(E_1)$ に他ならない.

同様の議論を ϕ_2 に適応することで, $\bar{K}(E)$ における $\mathrm{Ker}\,\phi_1 = \mathrm{Ker}\,\phi_2$ の固定部分体として, $\bar{K}(E_1)$ と $\bar{K}(E_2)$ は一致する. 特に, $\bar{K}(E_1) \simeq \bar{K}(E_2)$ であるから, ある有理函数 $R_1(x,y), R_2(x,y)$ の組が存在して $x_1 = R_1(x_2,y_2)$, $y_1 = R_2(x_2,y_2)$ と書けている. これにより, 代数写像 $\psi_1\colon E_2 \longrightarrow E_1$ が構成された. また, これが同型であることから, 代数写像 $\psi_2\colon E_1 \longrightarrow E_2$ で $\psi_1 \circ \psi_2 = \mathrm{id}_{E_1}$, $\psi_2 \circ \psi_1 = \mathrm{id}_{E_2}$ を満たす ψ_2 も存在する. このとき, $\psi_2 \circ \phi_1(x,y) = \psi_2(x_1,y_1) = (x_2,y_2) = \phi_2(x,y)$ であるから, $\psi_2 \circ \phi_1 = \phi_2$ であることに注意しておく. 最後に, ψ_i を $\psi_i - \psi_i(\mathcal{O})$ と置き換えることで, $\psi_i(\mathcal{O}_i) = \mathcal{O}_{3-i}$ となり, 目的の同型写像を得る. 実際, ϕ_1, ϕ_2 が全射準同型であるから,

$$\begin{aligned}
\psi_2(P+Q) &= \psi_2(\phi_1(P_0)+\phi_1(Q_0)) = \psi_2(\phi_1(P_0+Q_0)) = \psi_2 \circ \phi_1(P_0+Q_0) \\
&= \phi_2(P_0+Q_0) = \phi_2(P_0)+\phi_2(Q_0) = \psi_2 \circ \phi_1(P_0) + \psi_2 \circ \phi_1(Q_0) \\
&= \psi_2(P) + \psi_2(Q)
\end{aligned}$$

を満たす $P_0, Q_0 \in E(\bar{K})$ が存在し, ψ_2 は群準同型となっている. $\qquad\square$

5.5 捩れ部分群

定義 5.23. 体 K 上定義された楕円曲線 E に対して, m-捩れ部分群を以下で定める.

$$E[m] := \{P \in E(\bar{K}) \mid [m]P = \mathcal{O}\}$$

注意. $E[m]$ は (自己) 同種写像 $[m]\colon E \longrightarrow E$ の核だと思えるので有限部分群である.

例. 楕円曲線 $E : y^2 = (x-a_1)(x-a_2)(x-a_3)$ に関して $E[2]$ を求める. $\mathcal{O}$ 以外に $2P = \mathcal{O}$ を満たす点は $y=0$ となる点なので, $\{(a_1,0),(a_2,0),(a_3,0)\}$ である. 以上より, $E[2] \simeq \mathbb{Z}/2\mathbb{Z} \times \mathbb{Z}/2\mathbb{Z}$ であることが解る.

定理 5.24. E を $\mathbb{F}_p$ 上の楕円曲線とする. 0 でない整数 m に対して, 以下が成り立つ.
- $\gcd(p,m) = 1$ であれば, $E[m] \simeq (\mathbb{Z}/m\mathbb{Z})^2$
- $E[p] \simeq \mathbb{Z}/p\mathbb{Z}$, または, $E[p] \simeq \{\mathcal{O}\}$

[*12] これは体としての同型である. $Q = \mathcal{O}$ でない限り, σ_Q は $E(\bar{K})$ 上の同種写像にはならない.

証明．$\gcd(p, m) = 1$ であるとき，定理 5.19 と補題 5.15 から，$\#E[m] = \#\operatorname{Ker}[m] = \deg[m] = m^2$ となる．加えて，同様に，m の約数 d に関しても $\#E[d] = d^2$ である．有限群 $E[m]$ を巡回群の積として考えると，条件に合う形は $E[m] \simeq (\mathbb{Z}/m\mathbb{Z})^2$ のみである．

先の議論と同様に考えると，$[p]$ は分離的ではなく，$\#E[p] < p^2$ である．また，$E[p]$ は位数 p の元で構成されているので，$\mathbb{Z}/p\mathbb{Z}$，または $\{\mathcal{O}\}$ と同型である． $\square$

命題 5.25. $\mathbb{F}_p$ 上の楕円曲線 E が $E[p] \simeq \mathbb{Z}/p\mathbb{Z}$ を満たせば，任意の自然数 i に対して $E[p^i] \simeq \mathbb{Z}/p^i\mathbb{Z}$ が成り立つ．一方，$E[p] \simeq \{\mathcal{O}\}$ であれば，$E[p^i] \simeq \{\mathcal{O}\}$ である．

証明．$[p^2] = [p] \circ [p]$ であるから，後半の主張は明らか．$E[p] \simeq \mathbb{Z}/p\mathbb{Z}$ とし，その生成元を P とする．$[p]$ の全射性から $[p]Q = P$ となる点 $Q \in E(\bar{K})$ が存在する．この Q の位数が p^2 であることに注意する．この議論を続けることで，$E[p^i] \simeq \mathbb{Z}/p^i\mathbb{Z}$ が従う． $\square$

定義 5.26. $\mathbb{F}_{p^n}$ 上定義された楕円曲線が $E[p] \simeq \{\mathcal{O}\}$ を満たすとき超特異であるという．

例．$\mathbb{F}_5$ 上定義された超特異ではない楕円曲線は，次の 4 つである．

$$y^2 = x^3 + 1, \qquad y^2 = x^3 + 2, \qquad y^2 = x^3 + 3, \qquad y^2 = x^3 + 4$$

E を体 K 上の楕円曲線，N を $\gcd(p, N)$ であるような自然数とする．このとき，上の定理より，$E[N] \simeq \mathbb{Z}/N\mathbb{Z} \times \mathbb{Z}/N\mathbb{Z}$ であるが，$(0,1), (1,0)$ に対応する点 $P, Q \in E[N]$ を基底として取ると $(x, y) \in (\mathbb{Z}/N\mathbb{Z})^2$ と $xP + yQ \in E[N]$ の対応が群同型を与える．この設定において，$E[N]$ 上の自己群準同型の成す環は，二次行列環 $M_2(\mathbb{Z}/N\mathbb{Z})$ に等しい．

5.6 ヴェイユ対

有限体 K 上の楕円曲線 E について，n を自然数，$\mu_n := \{x \in \bar{K}\}$ を $\bar{K}$ における 1 の n 乗根からなる集合とする．μ_n の元の位数は n であることに注意しておく．体 K の標数 p が n を割り切らないとき，次の性質を満たすペアリング e_n が存在する．

$$e_n \colon E[n] \times E[n] \longrightarrow \mu_n \subset \bar{K}$$

$P, P_1, P_2, Q \in E[n]$ をそれぞれ任意の点としたとき，
1. 双線型 $\quad e_n(P_1 + P_2, Q) = e_n(P_1, Q) \cdot e_n(P_2, Q)$,
   $\qquad\qquad e_n(P, Q_1 + Q_2) = e_n(P, Q_1) \cdot e_n(P, Q_2)$
2. 非退化 $\quad$ 任意の $Q \in E[n]$ に対して $e_n(P, Q) = 1$ ならば，$P = \mathcal{O}$ である．
3. 単位的 $\quad e_n(P, P) = 1$, $e_n(P, Q) = e_n(Q, P)^{-1}$
4. 群作用 $\quad \sigma \in \operatorname{Gal}(\bar{K}/K)$ に対して $e_n(\sigma(P), \sigma(Q)) = \sigma(e_n(P, Q))$

正確な定義と性質の証明は [S] III.8 や [W] §11.2 に任せて，ここでは具体例を用いてミラーのアルゴリズムによる計算方法，及び応用例を紹介する．

例．$\mathbb{F}_{23}[\sqrt{-1}]$ 上の超特異楕円曲線 $y^2 = x^3 - x$ を考える．E 上の点 $P(2, 11)$，$Q(21, 12\sqrt{-1})$ はそれぞれ $E[3]$ の元である．この P, Q に対して $e_3(P, Q) \in \mu_3$ を計算

する. まずは, 多項式 $F(n, P)$ と $F(n, Q)$ を次の定義に従って帰納的に作る.

$$F(1, P) := 1, \qquad F(i+j, P) = F(i, P) \cdot F(j, P) \cdot \frac{L([i]P, [j]P)}{V([i+j]P)},$$

$$F(-i, P) = \frac{1}{F(i, P) \cdot V(i, P)}$$

ただし, $L(P, Q)$ は 2 点 P, Q を通る直線 ($P = Q$ の場合は接線) の方程式, $V(P)$ は直線 $x - x(P)$ を表し, 特に, $L([i]P, [n-i]P) = V([i]P)$, $V(\mathcal{O}) = 1$ とする.

　例の場合に戻り, 具体的に求める.

$$\begin{aligned}
F(2, P) &= F(1+1, P) \\
&= F(1, P)^2 \cdot \frac{L(P, P)}{V([2]P)} \\
&= \frac{y + 11x + 13}{x - 2}
\end{aligned} \qquad \begin{aligned}
F(2, Q) &= F(1+1, Q) \\
&= F(1, Q)^2 \cdot \frac{L(Q, Q)}{V([2]Q)} \\
&= \frac{y + 11\sqrt{-1}x + 10\sqrt{-1}}{x + 2}
\end{aligned}$$

続けて計算することで, 次の多項式を得る.

$$\begin{aligned}
F(3, P) &= F(2, P) \cdot \frac{L([2]P, P)}{V([3]P)} \\
&= F(2, P) \cdot V([2]P) \\
&= y + 11x + 13
\end{aligned} \qquad \begin{aligned}
F(3, Q) &= F(2, Q) \cdot \frac{L([2]Q, Q)}{V([3]Q)} \\
&= F(2, Q) \cdot V([2]Q) \\
&= y + 11\sqrt{-1}x + 10\sqrt{-1}
\end{aligned}$$

これらの多項式を用いてヴェイユ対を次の様に定め, 計算する.

$$e_n(P, Q) := (-1)^n \frac{F(n, P)(Q)}{F(n, Q)(P)} = -\frac{14 + 12\sqrt{-1}}{11 + 9\sqrt{-1}} = 11 + 15\sqrt{-1}$$

ただし, $P = Q$, または, P, Q のいずれかが $\mathcal{O}$ と一致する場合は $e_n(P, Q) = 1$ とする.

注意. 確かに, $(11 + 15\sqrt{-1})^3 = 1$ であるから $e_3(P, Q) \in \mu_3$ である. また,

$$e_3([2]P, Q) = 11 + 8\sqrt{-1} = e_3(P, Q)^2, \qquad e_3(P, [2]Q) = 11 + 8\sqrt{-1} = e_3(P, Q)^2$$

であるから, 双線型性も成り立つ.

補題 5.27. P, Q を $E[N]$ の生成元とすると, $e_N(P, Q) = \zeta_N$ は 1 の原始 N 乗根である.

証明. P, Q の条件から, P, Q, それぞれの位数が N であり, $\langle P \rangle \cap \langle Q \rangle = \{\mathcal{O}\}$ となることに注意しておく. $e_N(P, Q) = \zeta_N$ が原始的ではない, つまり, ある $d < N$ によって $\zeta^d = 1$ となっていると仮定する. この条件下では, $e_N(P, dQ) = e_N(P, Q)^d = 1$ であるから, 任意の $a, b \in \mathbb{Z}$ に対して $e_N(aP + bQ, dQ) = 1$ となる. このとき, e_N の非退化性より, $dQ = \mathcal{O}$ となってしまうのだが, これは Q の位数が N である事実に矛盾する. $\square$

命題 5.28. E を体 K 上の楕円曲線，ϕ をその自己同型，N を K の標数を割らない自然数とする．このとき，ϕ の $E[N]$ への制限 ϕ_N に関して，次の関係式が成り立つ．

$$\det(\phi_N) \equiv \deg(\phi) \pmod{N}$$

証明．先の節で見たように，ϕ_N は $E[N] \simeq \mathbb{Z}/N\mathbb{Z} \times \mathbb{Z}/N\mathbb{Z}$ 上の同型とみなせるので，二次正方行列によって表現される．その表現行列を $\phi_N = \begin{bmatrix} a & b \\ c & d \end{bmatrix} \in M_2(\mathbb{Z}/N\mathbb{Z})$ とおく．このとき，ヴェイユ対の性質から，次の関係式を得る．

$$\begin{aligned}
\zeta^{\deg\phi} &= e_N(P,Q)^{\deg\phi} = e_N(\phi(P),\phi(Q)) = e_N(aP+cQ, bP+dQ) \\
&= e_N(P, bP+dQ)^a \cdot e_N(Q, bP+dQ)^c = e_N(P,Q)^{ad} \cdot e_N(Q,P)^{bc} \\
&= e_N(P,Q)^{ad} \cdot e_N(P,Q)^{-bc} = \zeta^{\det\phi_N}
\end{aligned}$$

ここで，補題 5.28 より ζ の位数は N であるから，ζ の指数は mod N で一致する． $\square$

5.7 ハッセの原理

多項式 $x^q - x$ は $\bar{\mathbb{F}}_q$ において重根を持たないので，$\bar{\mathbb{F}}_q$ 内に丁度 q 個の根を持つ．また，$x \in \mathbb{F}_q \Longrightarrow \mathrm{Fr}_q(x) = x$ である．これらの個数が一致していることから，$\{x \in \bar{\mathbb{F}}_q \mid \mathrm{Fr}_q(x) = x\} = \mathbb{F}_q$ である．以上をまとめると，$E(\mathbb{F}_q) = \mathrm{Ker}(\mathrm{Fr}_q - [1])$ となる．

補題 5.29. $\mathrm{Fr}_q - [1] \colon E(\bar{\mathbb{F}}_q) \longrightarrow E(\bar{\mathbb{F}}_q)$ は分離的同種写像である．

証明．代数射の和が代数射となることはすでに確認した．また，Fr_q と $[1]$ は共に $E(\bar{\mathbb{F}}_q)$ 上の自己準同型である．従って，その差も自己準同型である．以上から，$\mathrm{Fr}_q - [1]$ は同種写像である．以下，分離性を示す．Fr_q の微分は，定義体の標数が q の約数なので，0 となる．しかし，$[-1]$ の微分は 0 ではないので，$\mathrm{Fr}_q - [1]$ の微分は 0 になることはない． $\square$

この結果から，等式 $\#E(\mathbb{F}_q) = \deg(\mathrm{Fr}_q - [1])$ が従う．

定理 5.30. $\mathbb{F}_q$ 上の定義された任意の楕円曲線 E に対して，以下の不等式が成り立つ．

$$|q + 1 - \#E(\mathbb{F}_q)| \le 2\sqrt{q}$$

証明．r, s を互いに素な整数とする．$A, B \in M_2(\mathbb{Z}/N\mathbb{Z})$ に対して，

$$\det(rA + sB) = r^2 \det A + s^2 \det B + rs\left(\det(A+B) - \det A - \det B\right)$$

が成り立つので，同種写像 $r\,\mathrm{Fr}_q + s[-1]$ の次数は，補題 5.29 より，$\gcd(q, N) = 1$ を満たす任意の自然数 N を法として，$\det(r\,\mathrm{Fr}_{q,N} + sI)$，$(I$ は単位行列$)$ を経由することで

$$r^2 \deg(\mathrm{Fr}_q) + s^2 \det[-1] + rs\left(\deg(\mathrm{Fr}_q - [1]) - \deg(\mathrm{Fr}_q) - \deg[-1]\right)$$

と一致する．しかし，これらの値は N に依らないので，真の等式となっている．ここで，それぞれの有理式表示から，$\deg(\mathrm{Fr}_q) = q$，$\deg[-1] = 1$ であるので，

$$\deg(r\,\mathrm{Fr}_q + s[-1]) = r^2 q + s^2 - rs\,(q + 1 - \#E(\mathbb{F}_q))$$

となる．ここで，右辺を r^2 で割って，$x := s/r$，$a := q + 1 - \#E(\mathbb{F}_q)$ とおくと，

$$x^2 - ax + q$$

となる．これは，任意の有理数 x に対して非負である必要がある．加えて，実数における有理数の稠密性と関数の連続性より，任意の実数 x に関しても非負である必要がある．従って，この二次形式の判別式 $a^2 - 4q$ は 0 以下である．これは，$|a| \le 2\sqrt{q}$ を表すのだが，題意の式に他ならない． □

5.8 有理点の数え上げ

前節に引き続き，$a := q + 1 - \#E(\mathbb{F}_q)$ とする．本節の証明では，アーベル群 G の自己準同型写像から成る集合 $\mathrm{End}(G)$ には，次の演算によって定まる非可換環の構造が入っていることを存分に用いるので改めて注意しておく．

$$(\sigma_1 + \sigma_2)(x) = \sigma_1(x) + \sigma_2(x), \qquad (\sigma_1 \circ \sigma_2)(x) = \sigma_1(\sigma_2(x))$$

補題 5.31. $\mathbb{F}_q$ 上定義された楕円曲線 E 上の点 (x, y) に関して，次の等式が成り立つ．

$$\left(x^{q^2}, y^{q^2}\right) - [a]\,(x^q, y^q) + [q](x, y) = \mathcal{O}$$

証明．$\mathrm{End}(E(\overline{\mathbb{F}}_q))$ において $\phi := \mathrm{Fr}_q^2 - [a] \circ \mathrm{Fr}_q + [q]$ が $[0]$ と等しいことを示せばよい．以下 $\phi \neq [0]$ と仮定し矛盾を導く．この条件は，$\mathrm{Ker}\,\phi \subset E(\overline{\mathbb{F}}_q)$ が有限群となることと同値なので，$\mathrm{Ker}\,\phi$ が無限群であることを示す．$\gcd(q, N) = 1$ である自然数 N に対し，Fr_q の $E[N]$ への制限を $\mathrm{Fr}_{q,N}$ とおく．このとき，二次単位行列 I を用いて，

$$\#E(\mathbb{F}_q) = \#\mathrm{Ker}(\mathrm{Fr}_q - [1]) = \deg(\mathrm{Fr}_q - [1]) \equiv \det(\mathrm{Fr}_{q,N} - I) \pmod{N}$$

が成立する．また，$q = \deg(\mathrm{Fr}_q) \equiv \det(\mathrm{Fr}_{q,N}) \pmod{N}$ であるから，

$$\det(\mathrm{Fr}_{q,N} - I) = \det(\mathrm{Fr}_{q,N}) - \mathrm{tr}(\mathrm{Fr}_{q,N}) + 1 \equiv q + 1 - \mathrm{tr}(\mathrm{Fr}_{q,N}) \pmod{N}$$

が成り立つ．これらを合わせて，$\mathrm{tr}(\mathrm{Fr}_{q,N}) \equiv a \pmod{N}$ を得る．これらの値に関して，$M_2(\mathbb{Z}/N\mathbb{Z})$ におけるケーリー・ハミルトンの定理を考えると，

$$(\mathrm{Fr}_{q,N})^2 - a\,\mathrm{Fr}_{q,N} + qI \equiv 0 \pmod{N}$$

という関係式が従う．これは，左辺の行列が $E[N]$ へ 0 倍で作用することを表すので，$E[N] \subset \mathrm{Ker}\,\phi$ である．ここで，N はいくらでも大きく取れるので，$\mathrm{Ker}\,\phi$ は無限群である必要がある． □

補題 5.32. 整数 k に対して，$\mathrm{Fr}_q^2 - [k] \circ \mathrm{Fr}_q + [q] = [0]$ となるなら，$k = a$ である．

証明．補題 5.31 と合わせることで，$[a - k] \circ \mathrm{Fr}_q = [0]$ である．Fr_q は全射だったので，$\mathrm{Ker}[a - k] = E(\bar{\mathbb{F}}_q)$ となる．$\#E(\bar{\mathbb{F}}_q) = \infty$ であるから，$[a - k] = [0]$ が従う． □

定理 5.33. E を $\mathbb{F}_q$ 上定義された楕円曲線とし，$\mathbb{C}$ における方程式 $X^2 - aX + q = 0$ の二根を α, β とする．このとき，任意の自然数 n に対して，次の関係式が成り立つ．

$$\#E(\mathbb{F}_{q^n}) = q^n + 1 - (\alpha^n + \beta^n)$$

証明．まずは，任意の自然数に対して，$\alpha^n + \beta^n$ が整数となることを確認する．定義式 $\alpha^2 - a\alpha + q = 0$ から得られる等式 $\alpha^{n+1} = a\alpha^n - q\alpha^{n-1}$ から，$s_n := \alpha^n + \beta^n$ は漸化式

$$s_0 = 2, \qquad\qquad s_1 = a, \qquad\qquad s_{n+1} = as_n - qs_{n-1}$$

を満たす．以上から，任意の自然数 n に対して $\alpha^n + \beta^n \in \mathbb{Z}$ である．

あとは，Fr_{q^n} が方程式 $Y^2 - [\alpha^n + \beta^n] \circ Y + [q^n] = [0]$ を満たすことを示せばよい．実際，$\mathrm{Fr}_{q^n} \curvearrowright E(\mathbb{F}_{q^n})$ へ補題 5.32 を適用することで，$\alpha^n + \beta^n = q^n + 1 - \#E(\mathbb{F}_{q^n})$ が従う．Fr_{q^n} を $Y^2 - [\alpha^n + \beta^n] \circ Y + [q^n]$ へ代入し，$\mathrm{Fr}_{q^n} = (\mathrm{Fr}_q)^n$，$[q] = [\alpha] \circ [\beta]$ に注意しながら変形すると，ある $\phi \in \mathrm{End}(E(\bar{\mathbb{F}}_q))$ が存在して因数分解が可能となる．

$$
\begin{aligned}
(\mathrm{Fr}_{q^n})^2 - [\alpha^n + \beta^n] \circ \mathrm{Fr}_{q^n} + [q^n] &= (\mathrm{Fr}_q^n)^2 - [\alpha^n + \beta^n] \circ \mathrm{Fr}_q^n + [\alpha]^n \circ [\beta]^n \\
&= (\mathrm{Fr}_q^n - [\alpha]^n) \circ (\mathrm{Fr}_q^n - [\beta]^n) \\
&= (\mathrm{Fr}_q - [\alpha]) \circ (\mathrm{Fr}_q - [\beta]) \circ \phi
\end{aligned}
$$

ここで，$(\mathrm{Fr}_q - [\alpha]) \circ (\mathrm{Fr}_q - [\beta]) = \mathrm{Fr}_q^2 - [a] \circ \mathrm{Fr}_q + [q] = [0]$ より，題意が示された． □

この結果により，整数係数漸化式を解くことで，$\#E(\mathbb{F}_p)$ から $\#E(\mathbb{F}_{p^n})$ を高速に求めることができる．次節では，この方式を用いて，暗号構築に重要な楕円曲線のクラスを見つける方法を考える．

5.9 超特異楕円曲線

命題 5.34. $\phi\colon E_1 \longrightarrow E_2$ を定数ではない同種写像であるとする．このとき，E_1 が超特異であることと，E_2 が超特異であることは同値である．

証明．$[p]_{E_i}\colon E_i \longrightarrow E_i$ を E_i 上の p-倍写像とすると，ϕ の準同型性より，$\phi \circ [p]_{E_1} = \phi + \cdots + \phi = [p]_{E_2} \circ \phi$ が成り立つ．E_1 が超特異であるとすると，$\mathrm{Ker}[p]_{E_1} = \{\mathcal{O}_1\}$ であるから，$\#\mathrm{Ker}([p]_{E_2} \circ \phi) = \#\mathrm{Ker}(\phi \circ [p]_{E_1}) = \#\mathrm{Ker}(\phi)$ が成り立つ．よって，ϕ の全射性から，$\mathrm{Ker}[p]_{E_2} = \{\mathcal{O}_2\}$，つまり，$E_2$ が超特異であることが従う．

逆に，E_2 が超特異であるとすると，$\#\mathrm{Ker}(\phi \circ [p]_{E_1}) = \#\mathrm{Ker}([p]_{E_2} \circ \phi) = \#\mathrm{Ker}(\phi)$ が成り立つ．よって，E_1 は超特異である． □

命題 5.35. 任意の素数 $p \equiv 3 \pmod 4$ に対して, $\mathbb{F}_p$ 上の楕円曲線 $E : y^2 = x^3 + x$ は $p + 1$ 個の $\mathbb{F}_p$-有理点を持つ. 特に, E は超特異楕円曲線である.

証明. $x \in \mathbb{F}_p$ に対して, $x^3 + x$ の平方剰余性[*13]と有理点の個数に間にある関係を考察する. $x_1^3 + x_1 = 0$ に対しては, $(x_1, 0)$ が唯一の有理点であり, $x_2^3 + x_2$ が p を法にして平方剰余であるとき, $(x_2, \pm y_2)$ と二つの有理点を持つ. これらの数値は平方剰余に関するルジャンドル記号[*14]に 1 を加えた物に一致している. 最後に, 無限遠点と合わせることで

$$\#E(\mathbb{F}_p) = 1 + \sum_{x \in \mathbb{F}_p} \left\{ \left(\frac{x^3 + x}{p} \right) + 1 \right\} = 1 + p + \sum_{x=0}^{p-1} \left(\frac{x^3 + x}{p} \right)$$

という関係式が得られる. これより, 平方剰余に関する第一補充則から

$$\#E(\mathbb{F}_p) = 1 + p + \sum_{x=0}^{\frac{p-1}{2}} \left(\frac{x^3 + x}{p} \right) + \sum_{x=0}^{\frac{p-1}{2}} \left(\frac{(-x)^3 + (-x)}{p} \right)$$

$$= 1 + p + \sum_{x=0}^{\frac{p-1}{2}} \left(\frac{x^3 + x}{p} \right) + \sum_{x=0}^{\frac{p-1}{2}} \left(\frac{-1}{p} \right) \left(\frac{x^3 + x}{p} \right)$$

$$= 1 + p + \sum_{x=0}^{\frac{p-1}{2}} \left(\frac{x^3 + x}{p} \right) - \sum_{x=0}^{\frac{p-1}{2}} \left(\frac{x^3 + x}{p} \right)$$

となり, 前半の主張が従う. (三つ目の等号に $p \equiv 3 \pmod 4$ を用いた)

$\#E(\mathbb{F}_p) = p + 1$ であるから, 定理 5.32 で見たように, $\#E(\mathbb{F}_{p^n})$ は $X^2 + p = 0$ の根 $\pm \sqrt{-p}$ を用いて, $\#E(\mathbb{F}_{p^n}) = p^n + 1 + \{\sqrt{-p}^n + (-\sqrt{-p})^n\}$ と表される. 従って, 任意の自然数 n に対して, $E(\mathbb{F}_{p^n})$ は位数 p の元を持ち得ない. また, 定理 4.8 として紹介したように $\bar{\mathbb{F}}_q = \bigcup_{n \geq 1} \mathbb{F}_{p^n}$ であるから, $E[p] \simeq \{\mathcal{O}\}$ となり, E は超特異である. $\quad\square$

同様に, $p > 5$ かつ $p \equiv 2 \pmod 3$ のとき, $y^2 = x^3 + 1$ は超特異となる.

命題 5.36. $\bar{\mathbb{F}}_p$ 上定義された超特異楕円曲線 E に対して, $j(E) \in \mathbb{F}_{p^2}$ である.

証明. 補題 5.31 から, $(\mathrm{Fr}_p)^2 - [a] \circ \mathrm{Fr}_p + [p] = [0]$ が成り立つので, $([a] - \mathrm{Fr}_p) \circ \mathrm{Fr}_p = [p]$ である. $[a] - \mathrm{Fr}_p = \phi_{\mathrm{sep}} \circ \mathrm{Fr}_p$ となる分離的同種写像が存在する. 以上をまとめると, 次

[*13] $x^2 \equiv a \pmod p$ が解をもつとき, a は p を法として平方剰余であるという

[*14] $\left(\frac{a}{p} \right) := \#\{x \in \mathbb{F}_p \mid x^2 \equiv a \pmod p\} - 1$ に対して, 次の関係が知られている

$$\left(\frac{ab}{p} \right) = \left(\frac{a}{p} \right) \left(\frac{b}{p} \right), \qquad\qquad \left(\frac{-1}{p} \right) = (-1)^{\frac{p-1}{2}}$$

の可換図式を得る. ($E^{(q)}$ は $\mathrm{Fr}_q \colon E \longrightarrow E$ の像を表す.)

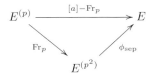

ここで, $[p] = \phi_{\mathrm{sep}} \circ \mathrm{Fr}_{p^2}$ の両辺の次数を比べると $\deg \phi_{\mathrm{sep}} = 1$ であるから, これは同型写像である. よって, $j(E) = j(E^{(p^2)}) = j(E)^{p^2}$ となり, $j(E)$ は Fr_{p^2} で不変. $\qquad \square$

このように, 超特異楕円曲線は定義体の標数 p に対して, 高々 p^2 種類しか存在しない. また, ここでは深く触れないが, この数を記す関係式を紹介しておく.

定理 5.37. $\bar{\mathbb{F}}_3$ 上の超特異楕円曲線は ($\bar{\mathbb{F}}_3$-同型を除き) 唯一つである. また, $p > 5$ に対して, $\bar{\mathbb{F}}_p$ 上の超特異楕円曲線の ($\bar{\mathbb{F}}_p$-同型をいた) 個数は次のように表される.

$$\left\lfloor \frac{p}{12} \right\rfloor + \begin{cases} 0 & \text{if } p \equiv 1 \pmod{12}, \\ 1 & \text{if } p \equiv 5, 7 \pmod{12}, \\ 2 & \text{if } p \equiv 11 \pmod{12}. \end{cases}$$

証明. [S] V. Thm.4.1 (c), [W] Cor.4.40 $\qquad \blacksquare$

5.10 超特異楕円曲線同種写像グラフ

$G(V, E)$ で頂点 $V = \{v_1, \ldots, v_p\}$, 辺 $E = \{e_1, \ldots, e_q\}$ をもつグラフを表す.

定義 5.38. $G(V, E)$ の隣接行列 (a_{ij}) を $a_{ij} :=$「点 v_i と点 v_j を結ぶ辺の数」で定義する.

注意. 隣接行列は $\#V \times \#V$ 型の正方行列である.

定義 5.39. $G(V, E)$ に関して, $v \in V$ の次数 $\deg(v)$ を次で定義する.

$$\deg(v) := \#\{e \in E \mid e \text{ の端点の一つが } v\}$$

V の全ての元 v に対して, $\deg(v) = r$ であるとき, G を r-正則であるという.

定義 5.40. $G(V, E)$ の隣接行列 A の固有値 λ を, グラフ $G(V, E)$ の固有値といい, A の固有多項式 $\det(\lambda I - A)$ を $G(V, E)$ の固有多項式という.

定義 5.41. $G(V, E)$ を n 個の頂点をもつ連結かつ k-正則なグラフとする. ラマヌジャングラフとは, $G(V, E)$ の固有値 $\lambda_1 \geq \lambda_2 \geq \cdots \geq \lambda_n$[*15] に対して, $\lambda(G) := \max\limits_{i \neq 1} |\lambda_i|$ が次

[*15] G の条件から $k = \lambda_1 > \lambda_2 \geq \cdots \geq \lambda_n \geq -k$ を満たすが, ここでは深く触れない

の不等式を満たすグラフをいう．

$$\lambda(G) \leq 2\sqrt{k-1}$$

定理 5.42. p, ℓ を異なる素数とする．そのとき，$\bar{\mathbb{F}}_p$ 上定義された次数 ℓ の同種写像により同種となる超特異楕円曲線から成るグラフ $G(\bar{\mathbb{F}}_p, \ell)$ は連結で，$(\ell+1)$-正則なラマヌジャングラフである．

証明． [F] Thm.47　　　　　　　　　　　　　　　　　　　　　　　　■

　$p = 83, \ell = 2, 3$ の超特異楕円曲線同種写像グラフを載せておく [BK]．頂点 (j-不変量) の個数は $\lfloor \frac{83}{12} \rfloor + 2 = 8$ であり，$\alpha, \bar{\alpha} \in \mathbb{F}_{83^2} \setminus \mathbb{F}_{83}$ は $\alpha^2 + 7\alpha - 10 = 0$ を満たす元とする [DG]．このとき，$G(\bar{\mathbb{F}}_{83}, 2)$ と $G(\bar{\mathbb{F}}_{83}, 3)$ は次のようになる．(辺上の数字は重複度)

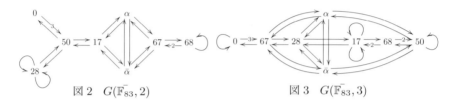

図 2　$G(\bar{\mathbb{F}}_{83}, 2)$　　　　　　　　　　図 3　$G(\bar{\mathbb{F}}_{83}, 3)$

6　超特異同種写像ディフィー・ヘルマン鍵共有鍵交換

6.1　背景

　超特異楕円曲線同種写像グラフには，通常楕円曲線を用いた場合と比較して，魅力的な特徴が二つある．一つ目は，同次同種類で拡張グラフを取得できることである．これによって，一つの小さな素数から，より効率的なプロトコルが構築できる．二つ目は，アーベル群による作用がないことである．これにより，量子コンピュータを用いた計算でも，効率的に解けないとされている．

6.2　セットアップ

　公開パラメータ $(p, e_A, e_B, E, P_A, Q_A, P_B, Q_B)$ を以下の様に取る[*16]．ネットワーク上の誰もが使えるようにしてもよく，鍵交換に先立ちアリスとボブの間で同意してもよい．

1. 素数 p
2. $2^{e_A} 3^{e_B} | (p+1)$ を満たす最大の非負整数 e_A, e_B．
3. $\#E(\mathbb{F}_p^2) = (p+1)^2$ を満たす超特異楕円曲線 E
4. $\langle P_A, Q_A \rangle = E[2^{e_A}]$ を満たす $P_A, Q_A \in E(\mathbb{F}_{p^2})$

[*16] 最初に提示されたプロトコルでは，もう少し柔軟性があるのだが，簡単のために制約を設けた．

5. $\langle P_B, Q_B \rangle = E[3^{e_B}]$ を満たす $P_B, Q_B \in E(\mathbb{F}_{p^2})$

注意. この方式の安全性は，小さい方の捩れ部分群に依存しているため，$2^{e_A} \approx 3^{e_B}$ であるように選ぶ必要がある．詳細については，[F] に示されている．

6.3 鍵交換プロトコル

プロトコルは以下のように動作する：

(A1) 整数 n_A を選択する   (B1) 整数 n_B を選択する

(A2) $A := P_A + [n_A]Q_A$ を計算する (B2) $B := P_B + [n_B]Q_B$ を計算する

(A3) $\phi_A \colon E \longrightarrow E_A := E/\langle A \rangle$ を求める (B3) $\phi_B \colon E \longrightarrow E_B := E/\langle B \rangle$ を求める

(A4) $\phi_A(P_B)$ と $\phi_A(Q_B)$ を計算する (B4) $\phi_B(P_A)$ と $\phi_B(Q_A)$ を計算する

(A5) B に $E_A, \phi_A(P_B), \phi_A(Q_B)$ を送る (B5) A に $E_B, \phi_B(P_A), \phi_B(Q_A)$ を送る

(A6) $R_A := \phi_B(P_A) + [n_A]\phi_B(Q_A)$ (B6) $R_B := \phi_A(P_B) + [n_B]\phi_A(Q_B)$
  に対して $E_B/\langle R_A \rangle$ を計算する   に対して $E_A/\langle R_B \rangle$ を計算する

(A7) $K_A := j(E_B/\langle R_A \rangle)$ を鍵とする (B7) $K_B := j(E_A/\langle R_B \rangle)$ を鍵とする

このプロトコルによって，鍵が共有されていることを確認する．

定理 6.1. $E_B/\langle R_A \rangle \simeq E_A/\langle R_B \rangle \simeq E/\langle A, B \rangle$ である．特に，$K_A = K_B$ である．

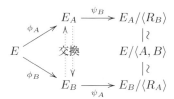

証明. 定理 5.22 から，$\mathrm{Ker}(\psi_B \circ \phi_A) = \mathrm{Ker}(\psi_A \circ \phi_B) = \langle A, B \rangle \subset E$ を示せばよい．
まずは，ϕ_A, ϕ_B が共に群準同型写像なので，

$$R_A = \phi_B(P_A) + [n_A]\phi_B(Q_A) = \phi_B(P_A + [n_A]Q_A) = \phi_B(A)$$
$$R_B = \phi_A(P_B) + [n_B]\phi_A(Q_B) = \phi_A(P_B + [n_B]Q_B) = \phi_A(B)$$

が成り立ち，$\langle A, B \rangle \subset \mathrm{Ker}(\psi_B \circ \phi_A)$, $\langle A, B \rangle \subset \mathrm{Ker}(\psi_A \circ \phi_B)$ が従う．
 $\mathrm{Ker}(\psi_B \circ \phi_A) \subset \langle A, B \rangle$ を示すために，$P \in \mathrm{Ker}(\psi_B \circ \phi_A)$ を取る．条件から，$\phi_A(P) \in \mathrm{Ker}\,\psi_B = \langle \phi_A(B) \rangle$ であるから，ϕ_A の準同型性と合わせて

$$\phi_A(P) = [k_1]\phi_A(B) = \phi_A([k_1]B)$$

を満たす $k_1 \in \mathbb{Z}$ が存在する．また，この関係式より，

$$\phi_A(P - [k_1]B) = \phi_A(P) - \phi_A([k_1]B) = \mathcal{O}_{E_A}$$

であるから，$P - [k_1]B \in \operatorname{Ker} \phi_A = \langle A \rangle$ となり，

$$P - [k_1]B = [k_2]A$$

となる $k_2 \in \mathbb{Z}$ が存在する．よって，$P \in \langle A, B \rangle$ が従い，$\operatorname{Ker}(\psi_B \circ \phi_A) = \langle A, B \rangle$ を得た．$\operatorname{Ker}(\psi_A \circ \phi_B) \subset \langle A, B \rangle$ も同様にして従うので，以上より，題意が示された． □

6.4 PARI/GP を用いた実装

6.4.1 セットアップ

$e_A := 8$, $e_B := 5$, $p := 2^8 \cdot 3^5 - 1$ とおくと，p は素数である．

SIDH(PARI/GP) 1 標数 p の設定

```
1 ? e_A = 8; e_B = 5; p = (2^e_A) * (3^e_B) - 1; isprime(p)
2 % = 1
```

$X^2 = -1 \pmod{p}$ が解を持たないことを確認し，$\mathbb{F}_p$ 上の規約多項式 $F := X^2 + 1$ に対して，定義体 $K := \mathbb{F}_p[X]/(F) = \mathbb{F}_p + \mathbb{F}_p\sqrt{-1}$ を定め，$i := \sqrt{-1}$ とおく．

SIDH(PARI/GP) 2 定義体 K の構築

```
1 ? kronecker(-1, p)
2 % = -1
3 ? F = (X^2 + 1) * Mod(1, p); i = ffgen(F, 'i);
```

K 上の楕円曲線 E を $y^2 = x^3 + x$ で定義し，それが超特異であることを確かめる．

SIDH(PARI/GP) 3 超特異楕円曲線 E の選定

```
1 ? E = ellinit([1, 0], i); ellissupersingular(E)
2 % = 1
```

$E(\mathbb{F}_p)$ 上の点 P_A と $E(\mathbb{F}_{p^2}) \setminus E(\mathbb{F}_p)$ の点 Q_A で，位数が 2^8 であるものを探す．ここでは，$P_A = [3^5](5, 4121)$, $Q_A = [3^5](5 + i, 6215 + 36008i)$ とした．

SIDH(PARI/GP) 4 独立な位数 2^8 の点 P_A, Q_A を見つける

```
1 ? x_1 = Mod(5, p); issquare(x_1^3+x_1, &y_1)
2 % = 1
3 ? P_A = ellmul(E, [x_1, y_1], 3^e_B); factor(ellorder(E, P_A))
4 % =
```

36

```
5  [2 8]
6
7  ? x_2 = 5 + i; issquare(x_2^3+x_2, &y_2)
8  % = 1
9  ? Q_A = ellmul(E, [x_2, y_2], 3^e_B); factor(ellorder(E, Q_A))
10 % =
11 [2 8]
```

$E(\mathbb{F}_p)$ 上の点 P_B と $E(\mathbb{F}_{p^2}) \setminus E(\mathbb{F}_p)$ の点 Q_B で, 位数が 3^5 であるものを探す. ここでは, $P_B = [2^8](9, 9870)$, $Q_B = [2^8](3 + i, 40561 + 51581i)$ とした.

SIDH(PARI/GP) 5　独立な位数 3^5 の点 P_B, Q_B を見つける

```
1  ? x_3 = Mod(9, p); issquare(x_3^3 + x_3, &y_3)
2  % = 1
3  ? P_B = ellmul(E, [x_3, y_3], 2^e_A); factor(ellorder(E, P_B))
4  % =
5  [3 5]
6
7  ? x_4 = 3 + i; issquare(x_4^3 + x_4, &y_4)
8  % = 1
9  ? Q_B = ellmul(E, [x_4, y_4], 2^e_A); factor(ellorder(E, Q_B))
10 % =
11 [3 5]
```

6.4.2　Alice

SIDH(PARI/GP) 6　E/A, $\phi_A(P_B)$, $\phi_A(Q_B)$ を求める

```
1  ? n_A = random(2^e_A);
2  ? nQ_A = ellmul(E, Q_A, n_A); A = elladd(E, P_A, nQ_A);
3  ? [E_A, phi_A] = ellisogeny(E, A); E_A = ellinit(E_A);
4  ? phi_Pb = ellisogenyapply(phi_A, P_B);
5  ? phi_Qb = ellisogenyapply(phi_A, Q_B);
```

SIDH(PARI/GP) 7　$\langle \phi_B(P_A), \phi_B(Q_A) \rangle = E/B[2^8]$ の確認

```
1  ? ellisoncurve(E_B, phi_Pa)
2  % = 1
3  ? factor(ellorder(E_B, phi_Pa))
4  % =
5  [2 8]
6
7  ? ellisoncurve(E_B, phi_Qa)
8  % = 1
```

```
 9 ? factor(ellorder(E_B, phi_Qa))
10 % =
11 [2 8]
```

6.4.3 Bob

SIDH(PARI/GP) 8 E/B , $\phi_B(P_A)$, $\phi_B(Q_A)$ を求める

```
1 ? n_B = random(3^e_B);
2 ? nQ_B = ellmul(E, Q_B, n_B); B = elladd(E, P_B, nQ_B);
3 ? [E_B, phi_B] = ellisogeny(E, B); E_B=ellinit(E_B);
4 ? phi_Pa = ellisogenyapply(phi_B, P_A);
5 ? phi_Qa = ellisogenyapply(phi_B, Q_A);
```

SIDH(PARI/GP) 9 $\langle\phi_A(P_B), \phi_A(Q_B)\rangle = E/A[3^5]$ の確認

```
 1 ? ellisoncurve(E_A, phi_Pb)
 2 % = 1
 3 ? factor(ellorder(E_A, phi_Pb))
 4 % =
 5 [3 5]
 6
 7 ? ellisoncurve(E_A, phi_Qb)
 8 % = 1
 9 ? factor(ellorder(E_A, phi_Qb))
10 % =
11 [3 5]
```

6.4.4 Alice

SIDH(PARI/GP) 10 鍵 K_A の計算

```
1 ? nphi_Qa = ellmul(E_B, phi_Qa, n_A);
2 ? R_A = elladd(E_B, phi_Pa, nphi_Qa);
3 ? E_BA = ellisogeny(E_B, R_A, 1);
4 ? K_A = ellinit(E_BA).j;
```

6.4.5 Bob

SIDH(PARI/GP) 11 鍵 K_B の計算

```
1 ? nphi_Qb = ellmul(E_A, phi_Qb, n_B);
2 ? R_B = elladd(E_A, phi_Pb, nphi_Qb);
```

```
3  ? E_AB = ellisogeny(E_A, R_B, 1);
4  ? K_B = ellinit(E_AB).j;
```

6.4.6 鍵交換

SIDH(PARI/GP) 12　鍵共有を確認

```
1  ? K_A == K_B
2  % = 1
```

$n_A = 238$, $n_B = 137$ のとき, $K_A = K_B = 60270 + 13262i$ であった.

6.5 安全性の根拠

本書で紹介した「超特異楕円曲線同種写像ディフィー・ヘルマン鍵共有」は, 現在の理論では, 次の問題が計算困難であるという事実に基づいている [F]. 本書を読破した読者には, この問題を研究する力があると思われるので是非挑戦してみてほしい.

問題 1. 有限体上の楕円曲線 E とフロベニウス写像 Fr を考える. E の部分群 $G \subset E$ に対して $\pi(G) = G$ であるとする. このとき, E/G を像とする分離同種写像 ϕ を表現する有理関数を計算せよ.

問題 2. 次数 d である同種写像により同種な有限体 $\mathbb{F}_q$ 上の楕円曲線 E, E' が与えられたとき, 同種写像 $\phi\colon E \longrightarrow E'$ を具体的に求めよ.

問題 3. $\#E = \#E'$ であるような有限体 $\mathbb{F}_q$ 上の楕円曲線 E, E' が与えられたとき, 同種写像 $\phi\colon E \longrightarrow E'$ を具体的に求めよ.

問題 4. E, e_A, e_B, P_A, Q_A, P_B, Q_B を SIDH プロトコルにおけるパラメータとする. 次の 2 つの分布のいずれかから確率 1/2 で観測された組があるとする.

1. $(E/\langle A \rangle, \phi(P_B), \phi(Q_B), E/\langle B \rangle, \psi(P_A), \psi(Q_A), E/\langle A, B \rangle)$
   - 位数 2^{e_A} の点 $A \in E$
   - 位数 3^{e_B} の点 $B \in E$
   - 同種写像 $\phi\colon E \longrightarrow E/\langle A \rangle$
   - 同種写像 $\phi\colon E \longrightarrow E/\langle B \rangle$

2. $(E/\langle A \rangle, \phi(P_B), \phi(Q_B), E/\langle B \rangle, \psi(P_A), \psi(Q_A), E/\langle C \rangle)$
   - 上記と同様の A, B, ϕ, ψ
   - 位数 $2^{e_A}3^{e_B}$ の点 $C \in E$

観測された組がどの分布から得られた物か決定せよ.

問題 5. E, e_A, e_B, P_A, Q_A, P_B, Q_B をプロトコルにおける変数とする. $A \in E$ を位数 2^{e_A} の点, $\phi\colon E \longrightarrow E/\langle A \rangle$ を同種写像とする. このとき, 与えられた $E/\langle A \rangle$, $\phi(P_B)$, $\phi(Q_B)$ に対して, 位数 2^{e_A} である点 $R \in E$ の像 $\phi(R)$ を計算せよ.

参考文献

[BK] B. Birch, W. J. Kuyk, eds., Modular functions of one variable. IV, Lecture Notes in Mathematics, 476, Berlin, New York: Springer-Verlag, 1975

[DG] C. Delfs, S. D. Galbraith, Computing isogenies between supersingular elliptic curves over $\mathbb{F}_p$, Designs, Codes and Cryptography volume 78, 425-440, 2016

[F] Luca De Feo, Mathematics of Isogeny Based Cryptography, arXiv:1711.04062

[S] Joseph H. Silverman. The arithmetic of elliptic curves. Number 106 in Graduate Texts in Mathematics, Springer, 2nd edition, 2009.

[W] L. C. Washington, Elliptic Curves: Number Theory and Cryptography, Chapman and Hall/CRC, 2nd edition, 2008.

[藤] 藤﨑 源二郎, 体とガロア理論 (岩波基礎数学選書), 岩波書店, 1997

あとがき

　以前, 日本という国における高校数学の実態を知るために, 暗黒通信団という団体とコンタクトを取った. その際, 信じられないことに, 彼らは貴重なデータのやりとりに「RSA 暗号を使う」と言い出したのだ. 敵国の量子計算機に監視でもされていたらどうする. 森羅万象に迫る程の知識を有するこの団体でも, 量子計算機の危機にはまだ疎いようである. そこで, 貴重なデータの提供に感謝して, 量子計算機にも強い暗号を教えてやろうと思う. この国では「行列」よりも「図形と方程式」という分野を先に学習するらしい. なので, 流行りの「格子暗号」ではなく, 「超楕円曲線同種写像暗号」を伝えることにした. 優秀な彼らなら, この技術をすぐに実用化するだろう. ぜひ役立てて欲しい.

耐量子暗号入門 I ——同種写像暗号——
（たいりょうしあんごうにゅうもん いち　どうしゅしゃぞうあんごう）

2021 年 6 月 1 日 初版 発行

著 者	etale.K3 （えたぁる けいすりぃ）
発行者	星野 香奈 （ほしの かな）
発行所	同人集合 暗黒通信団 (http://ankokudan.org/d/)
	〒277-8691 千葉県柏局私書箱 54 号 D 係
本 体	400 円